Le fils de l'Homme invisible

François Berléand

Le fils
de l'Homme invisible

Stock

ISBN 10 : 2-2340-5803-1
ISBN 13 : 978-2-2340-5803-3

Pour mes enfants, Martin et Fanny.

La gloire n'appartient
qu'à ceux qui l'ont rêvée.

Charles de Gaulle

I

Effet d'annonce

Ça s'est passé en hiver.

J'en suis sûr parce que mon père ne boit de la vodka qu'en hiver. Je n'ai pas encore tout à fait onze ans. On est un soir de semaine, je ne sais plus trop lequel. Pas un mercredi, en tout cas, parce que le mercredi j'ai l'habitude d'aller dormir chez mamie. Ce n'est pas un samedi non plus, sinon le lendemain je n'aurais pas école, donc c'est un jour de semaine.

Mes mains. Il faut que je regarde mes mains. Parce qu'on vient de me dire quelque chose de très important que je dois immédiatement vérifier. Alors j'écarte les doigts, j'observe les paumes, le tranchant, le dos, les lignes aussi. Je connais très bien les lignes de ma main. Surtout ma ligne de vie. Ma babouchka la trouve d'ailleurs un peu courte. Ma babouchka, c'est la

11

maman de papa. Elle est russe, c'est pour ça qu'on l'appelle babouchka. La maman de maman est française, elle, on l'appelle mamie. Tous les jeudis, quand je vais déjeuner chez babouchka, elle demande à voir ma ligne de vie. Pour vérifier. Elle me dit : « Donne-moi ta main, que je surveille. » Quand elle a fini de surveiller, en général, elle soupire. Bien sûr, elle dit aussi que ce n'est pas grave du tout mais je sens bien qu'elle espère tout de même la voir pousser. Alors, tous les matins, au réveil, moi aussi je vérifie. J'aime beaucoup ma babouchka et j'aimerais bien lui faire plaisir.

Mais là, si je regarde ma main, ce n'est pas pour surveiller ma ligne de vie. C'est seulement pour voir ma main. Pour voir si je la vois, ma main. Et là, pas de doute, je la vois. Donc, c'est bizarre et ça tombe assez mal.

Bien sûr, je suis encore un peu sous le choc de ce qu'on vient de m'apprendre mais il ne faut pas que ça m'empêche totalement de réfléchir. Je dois réagir. Voilà, je viens d'avoir une autre idée. Je vais enlever mes chaussures et mes chaussettes pour regarder mes pieds. Il faut que je le fasse discrètement parce que je devine que maman n'aimerait pas trop me voir toucher mes pieds pendant qu'on est à table. Quelques contorsions plus tard, voilà mes chaussures rangées sous ma chaise, mes chaussettes tire-bouchonnées dedans, et mes doigts de pied qui s'égaient sur les barreaux de la chaise. Je leur jette un rapide coup d'œil. Pas de doute possible, ils sont bien là tous les dix, certes un peu congestionnés par les chaussettes, mais bon. En tout cas, ils sont visibles. Je ne regarde pas leurs lignes, aux pieds, parce que babouchka ne m'a jamais expliqué à quoi elles correspondaient. Vraiment, je n'y comprends plus rien. Je vais essayer autrement. Je vais fermer les yeux une seconde puis les ouvrir d'un coup. Mais rien : mes pieds sont toujours là. Je l'ai peut-être fait trop vite ? Ils n'auront pas eu le temps de faire ce qu'ils avaient à faire. Je ferme donc à nouveau les yeux et compte cette fois jusqu'à cinq. Toujours là ! Peut-être qu'en clignant des yeux à toute vitesse ? Non, ce n'est pas ça non plus. Oh ! Ça ne va pas être simple.

Et pourtant, depuis quelques instants, je le sais : je suis le fils de l'Homme invisible.

Je m'appelle François Berléand, j'ai presque onze ans et je ne prends pas la parole sans y avoir été invité par un adulte. Je mange de tout, même si je n'ai pas une grande passion pour les carottes bouillies, les endives ou les épinards. Mais ce que je déteste par-dessus tout, c'est le chou-fleur. Sinon, je ne pose pas spécialement de problèmes. Dans ma chambre, j'ai un piano, un Teppaz, un bureau et une grande armoire en teck. Je suis AB négatif, ce qui est déjà très rare, et je suis le fils de l'Homme invisible. Je viens tout juste de l'apprendre. Le dîner est presque terminé. Je m'ennuie un peu, il y a bien longtemps que je n'écoute plus la conversation des grandes personnes. Les meilleurs amis de mes parents sont là : Raymonde et Jacques, André et Denise, et Dolly sans personne avec elle depuis sa séparation. Le cercle intime. Tout ce petit monde parle dans toutes les langues : en russe, en allemand, et bien sûr aussi en français, pour qu'on puisse suivre, maman, mon frère et moi. Même si moi, le plus souvent, je ne suis pas.

Je pense à autre chose. Enfin, c'est-à-dire que je ne pense à rien. Ça m'arrive souvent. Souvent aussi, je regarde sans voir. Je suis ailleurs. Là et pas là. À l'école, ça m'attire parfois quelques ennuis. À la maison, jamais : ma mère en rit, mon père s'en moque, mon frère en profite, bref, en famille, on s'arrange. Mais ce soir, pour une fois, je regarde vraiment. C'est cette tenture vieil or qui m'intrigue toujours. Ma mère vient de la faire accrocher au mur de la salle à manger. Elle en a placé une dans le salon aussi. Tout a commencé quand mon père s'est mis à fabriquer des couvre-téléphones en velours ornés d'un galon ton sur ton et qu'il en a offert un à ma mère. Vieil or ! Maman a d'abord été perplexe quant au coloris et au style, et c'était bien normal. Mais, pour des raisons très mystérieuses, elle a finalement décidé de faire du couvre-téléphone vieil or la pièce maîtresse de l'appartement, celle autour de laquelle s'organiserait dorénavant toute sa décoration. C'est pour cela que la moquette est vieil or maintenant. Et les murs aussi. Ça va avec le tout petit cache-téléphone, et du coup, elle a raison : lui, on le voit moins. Heureusement, on n'a rien changé dans ma chambre. Mais quand même, j'aimais mieux mon appartement avant, quand il était moins doré. Qu'un couvre-téléphone ait pu provoquer autant de bouleversements, qu'il ait entraîné tellement de modifications, c'est une grande leçon, surtout qu'il est tout petit. Moi, comme j'ai seulement onze ans presque, ça me fait forcément un peu réfléchir, tout ça. C'est riche de promesses. Voilà à quoi je pensais quand papa a prononcé cette phrase : « Toi, de toute façon, tu es le fils de l'Homme invisible ! »

Pourquoi il a dit ça ? À qui il parle ? Qui est le fils de l'Homme invisible ? Mais qu'est-ce que c'est que cette histoire ?

Cette phrase m'a immédiatement sorti de ma rêverie. Je me suis tordu le cou pour dévisager les uns après les autres tous les hommes autour de la table. Ma mère m'a dit de fermer ma bouche. Je lui ai obéi, comme d'habitude, mais j'ai quand même continué à scruter tous les visages pour comprendre qui était l'heureux élu : Jacques, André ou mon frère Philippe ? Il n'y a pas d'autres garçons dans la pièce, c'est donc forcément l'un d'eux.

Je regarde ces hommes. Alors, qui a la chance d'être le fils de l'Homme invisible ? Et pourquoi tout le monde me fixe maintenant avec un grand sourire ? Leur sourire est d'ailleurs en train de se transformer en un fou rire général. Je ris aussi mais, sincèrement, je ne sais pas très bien pourquoi.

Mon père a insisté : « Tu es vraiment lent, François. Mais oui... toi ! »

Hein ? Mais qu'est-ce qu'il raconte ? C'est moi ? C'est lui ? Je suis le fils de l'Homme invisible ? Comment est-ce possible ? C'est papa, l'Homme invisible ? Mais non, lui, c'est mon père ! Alors j'ai un nouveau père ? Un autre ? Et je suis son fils ? Non ! Si ? Et pourquoi ça fait rire tout le monde ? C'est drôle ? Non, pas vraiment.

Je suis plutôt mal à l'aise. Me dire ça sans aucune préparation, et devant tout le monde en

16

plus, non, décidément, cette révélation aurait mérité un peu plus de discrétion. Parce que c'est sacrément important, si je suis le fils de l'Homme invisible. À l'école, je vais devenir le chef. C'est énorme.

À cet instant, je pique un fard terrible. Je viens de comprendre pourquoi papa n'a pas pris les précautions élémentaires avant de me dire la vérité. Il n'a pas sa voix gentille. Sa voix est pâteuse, enrouée par l'alcool. Il a recommencé : il est ivre.

C'est ainsi depuis son infarctus. À cause du médecin qui a dit à papa : « L'alerte est sérieuse. La cigarette, c'est fini si vous voulez voir l'hiver. Par contre, je vous autorise le vin à table. »

Papa n'a pas voulu comprendre. Il n'a plus jamais fait la différence entre un verre de vin et une bouteille entière. Depuis, ses journées commencent souvent avec un grand verre de bourbon. Au déjeuner, il boit une bouteille de vin à lui tout seul et le soir, en rentrant, il ne se refuse jamais un whisky bien tassé. Pendant le dîner, il boit à nouveau une bouteille de vin. Nettement plus, s'il y a des amis. Et de la vodka, quand c'est l'hiver.

Ça s'est donc passé en hiver, et maintenant, il est ivre.

Ivre, mais sûr de lui.

Invisible ? Incroyable ! Dans ma tête, je revois l'Homme invisible, mon feuilleton du samedi, celui que je regarde chez mamie, la maman de maman – nous on n'a pas la télévision –, le crayon qui écrit tout seul, le chapeau qui flotte dans les airs, le méchant mis à terre par mon héros en bandelettes avec son manteau gris.

Ainsi je suis son fils ! J'ai donc les mêmes pouvoirs ? Ben oui, certainement, sinon je ne vois pas l'intérêt de me le dire. Mais maintenant que je le sais, il faut que j'y regarde d'un peu plus près. C'est pour ça que j'ai ôté mes chaussures et mes chaussettes. Et ça n'a pas vraiment marché. Du coup, je vais les remettre et m'y prendre autrement. Je vais serrer mes mains sur mes genoux et les remonter sur mes cuisses. Là, attendre un long temps et soudain, baisser les yeux. Rien à faire, mes mains restent là, visibles. À moins que... Peut-être suis-je le seul à les voir ? Mon excitation est à son comble. Il faut absolument que j'aille vérifier tout cela.

Maman remarque que je commence à me dandiner sur ma chaise, c'est une espèce de signal entre nous, et elle me donne enfin la permission de sortir de table.

Mon cœur bat très fort. Je me lève comme si de rien n'était, tourne au bout du couloir, et me précipite dans la salle de bains.

Je fixe mon image dans la glace, la réplique exacte de ce que j'étais la dernière fois que je me suis lavé les mains avant de passer à table. Les cheveux courts, la raie de côté bien dessinée. Seul mon regard a changé : il est incrédule. Je me mets à réfléchir : pourquoi est-ce que je me vois dans le miroir ? La joue collée au mur, je me penche pour tenter de déceler autre chose que moi. Nouvel échec. Pourtant, quelque chose doit forcément être différent.

Perplexe, je retourne dans la salle à manger et demande à mon frère s'il veut bien me suivre. Nous nous retrouvons tous les deux face à la glace qui nous renvoie fidèlement nos images. Je passe la main devant notre reflet : tout est désespérément semblable à nous deux. Il a la gentillesse de ne pas me poser de questions mais il me dévisage tout de même longuement. Ce n'est pas très surprenant, mon frère a l'habitude, depuis que je suis né, de me regarder de travers. Donc, je ne peux rien déduire de ce test-là.

Une autre idée me traverse. Elle est tardive, c'est vrai, mais lumineuse : la famille est peut-être tout entière invisible. Oui mais alors, les amis, comment peuvent-ils nous voir ? Peut-être à notre contact, acquièrent-ils eux aussi des pouvoirs particuliers ? Ou pas. On va bien voir avec Raymonde.

Revenu dans la salle à manger où les adultes poursuivent la soirée, je me campe près d'elle et lui fais un très joli sourire pour lui demander de venir avec moi. Ça ne prendra qu'un instant. Elle m'aime vraiment beaucoup, ne me dit pas souvent non, le sourire que je lui ai adressé était particulièrement réussi et la voilà donc à son tour devant le miroir de la salle de bains, souriant à son reflet dans la glace. J'y suis aussi, dans ce reflet, mais moi je ne souris plus du tout.

L'incompréhension et la tristesse commencent à m'envahir. Nous voir ainsi tous les deux, tels qu'en vrai, en dit long sur le peu de maîtrise que j'ai de ma nouvelle vie.

Raymonde me quitte, elle aussi sans poser de questions ni faire de commentaire, si ce n'est son index posé à l'horizontale sur sa tempe et auquel elle impulse un léger mouvement rotatif.

Je prends une chaise dans ma chambre et retourne dans la salle de bains. Grimpé sur la chaise, j'examine le miroir dans sa hauteur et me regarde encore : rien à faire, toujours cette présence idiote.

J'essaie autre chose. J'essaie tout. Je me mets à genoux. Puis je monte seulement une main. Puis l'autre. Enfin je bondis tout entier. Je renouvelle l'opération par la droite, par la gauche. Chaque fois, même résultat, même punition : je me vois. C'est une catastrophe. Je reste prostré, perdu dans mes pensées. Alors, je suis invisible, oui ou non ? Je m'observe encore dans la glace, fais une ou deux grimaces supplémentaires et je comprends enfin : c'est la glace qui n'est pas bonne. Elle est fausse.

Il faut absolument que je retraverse l'appartement pour vérifier mon image dans d'autres miroirs, mais pour ça je dois passer par la salle à manger et me retrouver devant tout le monde sans savoir très bien qui je suis, visible ou pas. C'est le genre de situation très inconfortable qui réclame bien sûr un peu de courage. Mais du courage, je n'en manque pas ! Je profite de n'avoir dit bonsoir à personne en particulier pour saluer chacun de manière plus personnelle. Je retiens ma respiration et embrasse en apnée Jacques, Raymonde et Dolly, puis, le plus discrètement possible, je jette un regard en direction de la baie vitrée. Tous sont là dans le reflet. Et moi avec. Je commence à être vraiment désespéré. Qu'est-ce que tout cela veut dire ? Je me dirige vers la vitre, la touche, m'accroupis, répète la même opération que dans la salle de bains, gauche droite, droite gauche, de part et d'autre du reflet : toujours là. Je fais un demi-tour sur moi-même pour me regarder de dos, puis de côté : rien, toujours rien, mon image encore. Je me retourne vers ma mère, espérant trouver dans son regard un indice ou au moins du réconfort. Mais là, c'est tout un public que je découvre ! À l'évidence tout le monde me voit. Ils sont perplexes, suspendus à mes prochains gestes, dont ils ne comprennent ni le sens ni la logique. J'ai sûrement l'air un peu bête et puis il y a un long silence.

Je me contente d'esquisser un sourire gêné et je pars vers le salon, où le miroir soleil va sûrement confirmer ce que je cherche. Mais, tandis que je franchis le pas de la pièce, j'entends maman me dire d'une voix ferme que ma chambre est de l'autre côté. Juste le temps de me revoir encore dans le soleil et d'en conclure que je suis en train de passer une vraiment sale soirée.

C'est donc en vaincu que j'entre dans ma chambre. En fermant les volets, j'aperçois furtivement mon reflet dans la fenêtre mais je n'ai même plus assez de force pour m'en plaindre. Ni même m'en étonner. Je me couche, effondré.

J'éteins la lumière. Je pense qu'il est vraiment ingrat d'être invisible et de ne pas arriver à le voir. Je sens bien qu'il y a une immense contradiction, un paradoxe même, mais je suis trop petit pour connaître le mot, encore moins sa signification et donc je reste là, à souffrir en silence d'une situation qui m'échappe. Aucun raisonnement ne vient à mon secours, c'est sûrement dans l'action que je vais découvrir la vérité. Je décide de me relever dans le noir. Dernière tentative de la soirée, c'est promis. Je me dirige en tâtonnant vers la fenêtre, l'ouvre et la referme, et là, ça y est : je ne me vois plus ! Plus du tout ! Ça y est ! C'est fait ! Oui sauf que non, parce que, là, c'est normal que je ne me voie plus, puisque je ne vois plus rien du tout. Il fait nuit noire dans ma chambre. J'ai triché, somme toute. La démonstration est viciée, je ne suis pas idiot non plus. Je ne vais pas me mettre à croire n'importe quoi.

Tant pis, cette fois, ça suffit. Je me recouche et m'enfouis sous mes draps, tout entier dans mes pensées, les larmes pas loin du tout. C'est alors que ma mère entre dans ma chambre pour me border, comme elle le fait tous les soirs. Elle est extraordinaire, ma mère, même si c'est aussi la mère de mon frère. Je l'entends dire : « Mais où est François ? »

Elle me cherche. Bon sang, elle ne me voit pas, elle me cherche ! Enfin. Quel bonheur ! Sous les draps, je retiens ma respiration. Je la devine qui s'aventure derrière les rideaux, sous le bureau, à gauche du piano. Elle va et vient dans ma chambre en répétant plusieurs fois mon nom avec des nuances d'incrédulité et d'inquiétude dans la voix. Elle me cherche dans le placard puis sous le lit. Elle est tout près de moi mais elle ne me voit toujours pas. Elle vient de sortir de ma chambre. Je l'entends qui m'appelle dans le salon. Il faudrait peut-être que je la rassure, que je lui dise que je suis là, invisible mais néanmoins là, et que bien sûr tout ça ne change rien : je l'aime autant qu'avant. C'est pourquoi, quand elle revient dans ma chambre, je sors ma tête de sous les draps et lui tends les bras.

Ce rituel a lieu tous les soirs, mais je m'en fiche pas mal, il vient enfin de prendre tout son sens. Maintenant, c'est vrai, j'en suis sûr, elle me cherche parce que je suis invisible. Délicieux moment, tellement exaltant. Je suis invisible, je le sais, je viens d'entrer dans le monde du merveilleux.

Vient alors le moment des câlins et de l'immense amour de ma mère. Je me love contre elle, en écoutant ses baisers sonores. Je ferme les yeux et m'abandonne au délicieux supplice de ses chatouilles. Au bout d'un long moment, toujours trop court, la sentence tombe : « Bonne nuit », m'embrasse-t-elle.

Je ne lui parle de rien, attentif, comme elle, à feindre l'ignorance. Je respecte son silence, maman adorée, si soucieuse de m'épargner l'angoisse de l'invisibilité. Onze années à me protéger, quel travail ! Je comprends que je dois passer une épreuve. Papa m'a dit « la chose », maintenant je dois faire seul mon apprentissage. Maman me regarde de ses beaux yeux pers, violets ce soir, pareils à son chandail, puisque c'est sa particularité à elle : ses yeux s'assortissent à la couleur des vêtements qu'elle porte, et comme elle a un chandail violet... Mais elle s'en va.

Je reste là, les yeux ouverts, les yeux fermés. Mon lit m'apaise lentement. Comme toutes les nuits, pour m'endormir, je bouge la tête de droite à gauche, de gauche à droite, lentement d'abord, puis de plus en plus vite. Je sens maintenant que j'ai le vertige, tout tourne, le sommeil va arriver. Je suis bien.

II

Grands projets

Je suis à la banque. C'est la première fois que j'entre seul dans une banque. Seul et sans papa. Je vois des gens qui se dirigent vers la salle des coffres, c'est là que je vais aussi. Je leur emboîte donc le pas. Le directeur passe le premier. Suit un gros monsieur qui a l'air très riche, riche comme je le serai bientôt. Ensemble, ils bougent deux grosses portes blindées, et nous arrivons devant un énorme coffre. Mon cœur bat drôlement fort, j'espère qu'ils ne l'entendent pas. Ce serait quand même idiot de me faire repérer à cause du bruit. Le directeur introduit sa clé, le gros monsieur la sienne, la porte s'ouvre et je vois une montagne de billets de banque et des milliards de lingots d'or : une fortune énorme ! Le gros monsieur prend quelques liasses. Je fais de même. J'y ajoute aussi un lingot, parce que je n'en ai jamais vu et qu'on n'en a pas à la maison. C'est joli, ça brille. Les deux messieurs ressortent de la salle. Ni vu ni connu, je les suis. Ensuite, je donne plein d'argent aux pauvres, c'est Dieu qui va être content, et aux copains, et ils me disent que je suis le chef. Un sacré bon chef. Je rentre à la maison et je mets plein d'argent dans le porte-monnaie de maman et dans le portefeuille de papa. Ils sont fous de joie d'être très riches et me font énormément de câlins. Pourtant je n'ai pas besoin de faire tout ça pour qu'ils m'aiment. Je le fais juste parce que je peux. Comme je suis invisible, ça m'est plus simple. Il y a aussi babouchka qui joue toutes les semaines à la Loterie nationale mais qui ne gagne jamais. Je sais que ça la tracasse beaucoup. Je vais lui demander de me montrer les numéros de son ticket et j'irai assister au tirage. J'aurai appris ses numéros par cœur et je ferai en sorte que son ticket soit gagnant. Elle sera très contente. On sera riches, on fera la fête et il y aura peut-être du borchtch à manger. C'est même sûr.

Voilà. Je viens de mettre deux grands projets sur pied. Il doit être tard. De mon lit, j'entends Raymonde, qui parle tout le temps très vite et très fort, dire au revoir aux parents. La porte se referme, l'appartement reprend son rythme habituel, le calme arrive. En moi, l'envie de m'endormir concurrence férocement l'excitation de ma nouvelle vie. Je ne vais plus pouvoir lutter longtemps contre le sommeil. Je remonte les draps sur moi, me mets sur le côté droit pour bien laisser mon cœur respirer pendant la nuit, selon les recommandations de maman, et je recommence à faire dodeliner ma tête pour la bercer. Les images qui me viennent à l'esprit sont de plus en plus étranges. Et rien ne peut plus m'arrêter.

Je suis maintenant devant l'Élysée, tellement impressionné d'aller voir le général de Gaulle. Ce n'est pas rien, tout de même. Je passe devant beaucoup de gens qui travaillent pour la France et qui sont très affairés. Je cherche longuement le bureau du Général, qui n'est pas bien indiqué du tout quand on y va pour la première fois. Mais enfin, j'y arrive. Papa dit toujours que ce général nous cache des choses et il faut absolument que je trouve lesquelles. Parce que c'est pas bien du tout de cacher des choses. Ça aussi, c'est papa qui le dit. J'ouvre les tiroirs du gros bureau de de Gaulle. Il est bien rangé son bureau, pas comme le mien. Il y a beaucoup de dossiers secrets. J'en prends deux, papa sera content, il pourra savoir. Et je m'en vais, sans faire de bruit.

Tout à coup, j'ai une idée : et si je me mettais au service de la France ? Si l'Amérique est aussi forte, c'est certainement grâce à mon père, l'Invisible. Je pourrais peut-être faire pareil que lui ? Il faut que je retourne tout de suite dans le bureau de de Gaulle et que j'attende qu'il m'y rejoigne. Dès qu'on est seuls ensemble, je lui parle tout de go : « Attention, j'ai l'air petit comme ça, mais je peux vous aider parce que je suis le fils de l'Homme invisible. »

Je lui fais part de mes intentions : « J'aimerais bien réconcilier les Américains et les Russes. Ça devrait m'être assez facile parce que mon autre père est russe et qu'il parle aussi très bien l'anglais. Et puis, je pourrais aussi tuer Hitler. »

Là, c'est bien simple, il est emballé.

Du coup, il me donne la Légion d'honneur et me demande s'il peut faire quelque chose pour moi. Je réfléchis et je lui dis : « Je voudrais ne plus manger de chou-fleur. »

Il répond qu'il est d'accord.

« Autre chose ?

– Oui, plus de carottes bouillies, ni d'endives.

– D'accord. »

D'ailleurs, lui non plus n'aime pas ça.

Ç'a été très agréable de discuter avec lui. Il est très intelligent et en plus on a les mêmes goûts. On se dit au revoir et je lui promets de lui téléphoner quand j'aurai réglé l'histoire.

Et voilà que maintenant Hitler est devant moi. Il est quand même grand. En plus, il est entouré de plusieurs personnes. Je suis derrière lui, sur un balcon historique, devant des milliers de gens qui l'acclament. Je ne comprends rien à ce qu'il dit. Il doit parler en allemand. Tant pis. Je m'approche sans faire de bruit, sur la pointe des pieds, mon cœur bat à nouveau très fort. Je prends tout doucement le pistolet d'un général et je tue Hitler et puis je tue aussi tous ceux qui sont autour de lui. Voilà, c'est fait. Il y aura plein de morts en moins et les Allemands ne seront plus méchants.

Après, je vais avec papa à Berlin où il y a une grande réunion entre Kennedy et Khrouchtchev. Je suis obligé de leur expliquer que ce n'est pas mon vrai père. Le vrai, c'est l'Homme invisible mais j'ai préféré venir avec celui qui parle le russe et l'anglais parce que ce sera plus commode pour les discussions. Ils comprennent très bien. Quand je leur explique que j'ai tué Hitler, ils n'en reviennent pas. Du coup, ils font la paix et voilà. Ils me remercient, me disent que j'ai sauvé le monde et me demandent ce qui me ferait plaisir. Je leur dis qu'il faudrait que, dans tous les pays, il n'y ait plus de guerres, de choux-fleurs ni de carottes cuites. Eux aussi sont d'accord, ils n'aiment pas ça non plus. Décidément, personne ne les aime. À se demander pourquoi ils existent...

J'ai un peu soif. Mais je suis trop fatigué pour chercher à tâtons le verre d'eau sur ma table de nuit. Je crois que je dors déjà.

Maintenant, je suis dans un avion, installé à une place libre. Je vais voir mon vrai papa. C'est bien de prendre l'avion gratuitement. Ça coûte moins cher. Les hôtesses servent les passagers, elles donnent des plateaux-repas magnifiques. Il y a des huîtres, du caviar et de grands verres d'eau. Les hôtesses passent à côté de moi sans faire attention. C'est parce que je suis invisible. Pendant qu'elles sont occupées avec une grande personne, je prends un verre et des huîtres. Très bon. On arrive à New York. Je commence à chercher l'Homme invisible. Je le cherche, je le cherche, je le cherche partout et je ne le trouve pas. Alors je vais voir Spiderman, qui est un ami de papa, et je lui annonce qui je suis. Je lui explique que je cherche papa mais comme je ne sais pas où il habite, c'est compliqué. Lui non plus ne sait pas où il est, mais Batman et Superman, eux, savent. On va chez eux, et on a de la chance parce que papa est là, avec Tintin aussi. On s'embrasse. Papa me fait des câlins invisibles et je lui dis que je vais les aider à sauver le monde. Ils sont très contents parce que finalement ils ne sont pas si nombreux comme super-héros, et qu'un de plus, forcément, ça aide. Je leur raconte que j'ai tué Hitler, qu'ils auraient pu y penser avant et surtout qu'il n'y a plus de choux-fleurs ni de carottes bouillies dans le monde. Ils baissent la tête. C'est vrai que pour Hitler, ils auraient pu y penser avant, ils disent. Je ne leur en veux pas, ils n'ont pas que ça à faire non plus. Et puis ils ne vivent pas en Europe. Enfin, Tintin, lui, si. Drôlement penauds, Batman et Superman me proposent de m'accrocher à eux. Ils vont m'emmener à l'école en volant.

On arrive pendant la récréation. C'est aussi bien. Comme ça, tout le monde est autour de moi. Il y a Guillevin, Dubosc et Clara. Ils sont tous émerveillés de ce que j'ai fait. La paix, de Gaulle, et puis surtout Batman, Spiderman et papa. Clara me dit qu'elle veut bien devenir mon amoureuse finalement, enfin, si ce n'est pas trop tard. Je lui assure que ce n'est pas trop tard du tout. Je suis devenu le chef, je le sais, je le vois dans leurs regards. Je suis le plus fort du monde. Je vais casser la figure de Philippe, mon frère.

III

Ma nouvelle vie

C'est un peu difficile de me lever ce matin. La nuit n'a pas vraiment été de tout repos. Je ne comprends pas du tout l'intérêt de faire des rêves si c'est pour se réveiller. J'ai accompli beaucoup de grandes choses pendant la nuit et comme je n'y suis pas encore habitué, ça me laisse des traces. En bâillant, je cherche du bout des pieds mes chaussons, disparus sous le lit. Je me penche pour les trouver et je les vois ! Mais non, pas mes chaussons, mes pieds ! Ça y est, ça recommence. Je me vois encore et toujours. Quand vais-je enfin être normal ? J'hésite entre la lassitude et la colère. Et puis je choisis finalement l'action.

D'un bond je me précipite dans la salle de bains. L'épreuve du miroir n'est toujours pas concluante : mon reflet est bel et bien là. Je me fixe dans les yeux. Un soupçon vient me serrer le cœur. Le fils de l'Homme invisible qui continue d'apparaître, c'est vraiment troublant. Je me décide à inspecter toutes les glaces de toutes les pièces de l'appartement. Je passe devant, plusieurs fois, très lentement, mais inexorablement toutes me renvoient mon image. C'est un problème assez grave. Il faut de toute urgence que j'y apporte une solution. Je décide donc que ces glaces spéciales ont été fabriquées pour me renvoyer mon image. Ce début d'explication me suffit pour l'instant et, un peu plus en paix avec ma nouvelle vie, je fais ma toilette.

Après, habillé, peigné, lavé, même les dents, je vais prendre mon petit-déjeuner. Dans la cuisine, il y a Philippe, mon frère, et maman, ma mère. Mon père n'est pas encore réveillé : les lendemains de dîner arrosé, il a la permission.

Quand j'entre dans la cuisine, la conversation s'arrête. Ils me voient eux aussi, j'en conclus. Mais j'en conclus surtout qu'ils parlaient de moi. Et qu'ils disaient des secrets. Je hoche la tête, pas dupe, pas grave, et je commence l'absorption de mes tartines trempées de café au lait. Je regarde malgré tout mon frère. Il a l'œil froid et fatigué. Je ne l'amuse pas. Il a quatre ans de plus que moi, il ne m'aime pas et je crois bien que c'est depuis ma naissance. Il a toujours été plus vieux que moi et il ne me l'a jamais pardonné. Dans l'album photo de ma famille, j'en ai découvert une qui prouve qu'il ne m'aime pas. Sur cette photo, je ne suis qu'un bébé et lui, déjà un petit garçon de cinq ans. Il tient une pompe à vélo dans les mains et on voit très bien à sa moue qu'il meurt d'envie de me la casser sur la tête. D'ailleurs, plus tard, avec son premier argent de poche, il a acheté un pistolet à plombs. Il est revenu à la maison et a tiré sur moi. À bout portant.

« Si tu le répètes aux parents, je te tue. »

De toute façon, je ne disais pas grand-chose, et encore moins aux parents. Je n'ai rien dit et donc je ne suis pas mort.

Et puis je me souviens aussi d'un jour où on était chez mamie. Pour une fois, on ne se tapait pas dessus, parce que j'étais en train d'écrire au père Noël. Et là de la manière la plus insidieuse qui soit, il m'a lancé :

« Mais on t'a pas dit ?

– Quoi ?

– Le père Noël, il n'existe pas. C'est les parents qui font les cadeaux. »

En voyant ma tête, il ajouta :

« Ben je croyais que tu savais. »

Avec son air de ne pas y toucher, il venait de me faire un mal de chien.

« Mais la petite souris, elle, elle existe, hein ? »

J'avais encore cinq dents à perdre, dont deux qui donnaient ces jours-ci des signes de faiblesse. Il n'était pas question que la petite souris, non plus, n'existe pas.

« Pareil », dit-il froidement.

C'en était trop. Je me précipitai dans le salon où les grandes personnes étaient réunies. Je courus dans les jupes de maman et lui demandai. Elle me convainquit plus ou moins que Philippe voulait seulement me faire enrager, mais pas longtemps, parce que je surpris très vite des regards lourds de sous-entendus entre mes deux grands-parents et mon père. Mon frère avait donc dit vrai. J'en eus bientôt la certitude lorsqu'il me fut ordonné par mon père de regagner ma chambre, et d'y rester, pendant que mon frère se prenait un savon chuchoté tellement fort que je l'entendais de ma chambre. Il ne m'aimait pas, Philippe, j'en eus vraiment la preuve ce jour-là. Quand il avait appris que le père Noël n'existait pas, il avait dû être malheureux lui aussi, alors pourquoi maintenant il me faisait pareil ? Et les parents, pourquoi ils nous racontent des choses qui n'existent pas ? En tout cas, mon frère, c'est pas mon meilleur ami.

Je dois maintenant partir pour l'école. J'enfile mon manteau, prends mon cartable et salue respectueusement mon père qui vient enfin d'émerger de la salle de bains, le nœud de cravate mal agencé et l'œil noir des journées migraineuses. Je décide prudemment de ne pas l'embêter avec mes exploits de la nuit. Ce n'est manifestement pas le moment de rechercher sa complicité et de le rassurer sur la façon dont je mène ma barque dans ma nouvelle vie. Par contre, j'embrasse maman, qui cache à merveille son excitation d'assister en quelque sorte pour la deuxième fois à ma naissance. Mais je sais qu'elle me fait une confiance infinie. Elle, je n'ai jamais besoin de la rassurer. J'ai juste le souci constant de ne pas trop décevoir son amour. Ce qui, bien sûr, représente aussi pas mal de travail. Pour l'heure, l'école m'attend. Et avant cela, l'expérience de la rue et du regard des autres. Je vais mettre en scène mon invisibilité. J'en ai déjà le cœur battant.

Dès que je m'aperçois dans la vitrine de l'épicier, en bas de la maison, je comprends qu'il me faut affiner la théorie des miroirs spéciaux. J'y réfléchis à nouveau et cette fois mes idées vont très vite. Je commence à me familiariser avec mes nouveaux problèmes et donc je suis de plus en plus à l'aise pour les résoudre. Sans doute, mes parents n'ont-ils pas hésité à installer chez les commerçants du quartier, côté rue, des glaces spéciales où je peux me voir. Les mêmes que celles qu'il y a dans notre appartement, chez nous. Et derrière toutes les devantures qui jalonnent mon trajet jusqu'à l'école, ils sont donc au courant. La boulangère, le coiffeur ; même au bistrot, ils savent. Et tout le monde ment, pour me cacher que je suis différent. Pour l'école, c'est pareil. Quand j'allais à la communale, mes parents avaient sûrement prévenu les maîtres et mes camarades que j'étais invisible et comme je suis resté cinq ans avec eux, ils se sont habitués à mon état. Maintenant, je suis dans une école privée. C'est une petite structure. Il est donc encore plus facile de prévenir les professeurs de ma drôle de condition. Ça me fait bien rire, maintenant que je sais.

Dans la rue, personne ne semble me remarquer. Mon bus arrive. Je monte dedans. Je bouscule exprès les gens sans m'excuser et je me retourne pour voir l'effet produit : aucune réaction. Tout va bien. Décidément, quand on est invisible, beaucoup de choses changent. En plus simple !

Mais un bus reste un bus. Et celui-là est vraiment bondé. J'arrive à peine à m'accrocher à la barre d'appui. À côté de moi, un monsieur très grand est en train de lire une page de son journal. Je me retrouve avec son coude sur le visage. Le monsieur ne s'aperçoit de rien. Tant mieux.

Il m'enfonce son bras dans la figure sans broncher. Il ne s'en rend pas compte. Comment le pourrait-il ? Joie ! Maintenant, il me fait carrément mal. Je jubile. Quel bonheur ! Et puis tout change. Le monsieur soulève son journal. Il a l'air surpris de me découvrir dessous. Il soulève prestement son bras et se confond en excuses.

« Pourquoi vous vous excusez ?

– Dis donc, gamin, ça va bien, maintenant. »

Et il se remet à lire son journal.

Ce monsieur m'a vu. Comment une chose pareille est-elle encore possible ? De toute façon, je dois descendre à l'arrêt suivant. Je décide, pour faire simple, d'oublier le plus vite possible ce fâcheux incident.

Je suis arrivé à la gare du petit train qui m'emmène à la porte Maillot. La foule n'est pas vraiment au rendez-vous. Le petit train non plus. On l'attend. Personne ne semble faire attention à moi, je suis donc à nouveau content.

Quand la rame se met en place, les gens se précipitent dedans. J'avise un siège et le train démarre.

En regardant le paysage défiler, je vois le reflet de mon visage dans la vitre et ça m'agace terriblement. J'en ai assez de moi.

C'est juste au moment d'entrer en gare que mon reflet s'efface. D'un coup !

Le soleil tape sur la vitre. Une seconde avant, je me voyais, et maintenant, plus du tout. Ça y est, je suis vraiment invisible ! Finalement l'« épreuve » n'a pas été aussi longue que ça. Je suis tout à ma joie, je souris à la vie. Je crois bien que je parle tout seul. Un passager semble me dévisager. Est-ce qu'il me voit vraiment ? Il faut que je sache. Pour en avoir le cœur net, je lui fais toutes mes grimaces. Je lui tire la langue et je plisse mon nez en le relevant avec mon index. Il détourne seulement la tête et jette un œil à sa montre. L'émotion me coupe le souffle. JE SUIS INVISIBLE !

C'est un moment d'une rare intensité.

Le train s'arrête et c'est le cortège des gens qui montent et qui descendent. Un jeune couple s'assied à côté de moi. Nous sommes trois sur une banquette de deux. Mon invisibilité est mathématique.

J'arrive à l'école où je vais encore la vérifier. Le professeur de français-latin entre dans la classe. Tout le monde se lève, sauf moi. J'attends une remontrance possible. Rien. C'est la fête, il n'y a donc plus qu'à écouter la leçon d'une oreille distraite, en attendant la récréation.

Dans la cour je reste seul. Évidemment. Un camarade vient pourtant me parler. Une espèce de réflexe me fait écouter ses paroles. Il me regarde dans les yeux et je m'étonne. Comment ? Pourquoi ?

Il s'agit de François Lyon-Caen. Il m'aime bien parce que je m'appelle François et je l'aime bien pour les mêmes raisons. Donc, lui me voit, c'est un fait. Je ne serais donc invisible que par intermittence ? Mais comment savoir quand, puisque moi-même je ne cesse de me discerner ? J'opte pour la grimace, piège infaillible pour le regard des autres.

Je lui tire la langue. Il me demande pourquoi. Je ne lui réponds pas. « Ce n'est que partie remise », j'ai pensé.

Brusquement, il me vient une autre idée. Je ramasse un petit caillou et le pose sur la paume de ma main.

« Qu'est-ce que tu vois, là ?

– Ben un caillou !

– Rien d'autre ?

– Ben non ! »

J'enlève le caillou.

« Et là, maintenant ?

– Ben rien !

– Là, tu ne vois rien ?

– Ben non. »

Je fais deux pas en arrière, lui montre mon visage.

« Et là, qu'est-ce que tu vois ?

– Ben... rien !
– Rien ?
– Rien ! »
Il ne voit rien. Je suis redevenu invisible !
« Et là, tu m'entends ?
– Ben oui !
– Et ça ne te choque pas ?
– Ben non !
– Mais là, je te parle... Et ça ne te choque
pas ?
– Oh, mais t'es bizarre toi !
– Tu m'étonnes que je suis bizarre. »
La conversation s'arrête là car les cours
reprennent. Il y a encore une chose que je ne
saisis pas, c'est les vêtements. Est-ce qu'on les
voit toujours, eux ? Je me décide à en faire
immédiatement l'expérimentation. Le cours sui-
vant est un cours de maths.

Tout le monde a le nez dans son travail, sauf
moi. Je déteste les mathématiques, une succession de chiffres et de lettres à laquelle je ne
comprends rien, ni le sens ni surtout l'utilité.
Cette matière est donc surtout prétexte à regarder par la fenêtre défiler les saisons. L'ennui me
gagne de nouveau. Je décide de voir de plus près
la rue si proche. Je suis près de la fenêtre au
dernier rang à gauche. Les yeux rivés sur la prof
qui énonce un problème, je commence à me

déshabiller. Une fois intégralement nu, je me lève et me dirige vers la porte de sortie, un vieux réflexe de pudeur m'invitant tout de même à cacher mes parties intimes. J'ouvre la porte, qui émet un grincement terrifiant. Je jubile en imaginant dans mon dos la tête de mes camarades, qui sont en train de voir une porte s'ouvrir toute seule. Je suis sur le point de franchir le seuil de la porte quand j'entends distinctement des mots qui me glacent d'effroi : « Berléand, qu'est-ce que vous faites tout nu ? »

Je deviens, à l'instant même, rouge de confusion. Le brouhaha et le chahut dans la classe sont énormes. Je me sens terriblement seul. Et idiot. J'ai froid. Je rejoins ma table, la tête basse, sous les regards moqueurs de mes camarades. Je me rhabille et j'attends la punition.

« Sortez et allez voir la directrice. »

Les larmes me montent aux yeux : comment vais-je pouvoir expliquer cet incident sans trahir ma famille ? Si c'est un secret de famille, ça m'étonnerait que mes parents soient contents d'apprendre que je l'ai raconté à l'école. Je sors pourtant de la classe pour aller chez Mme Obolensky, la directrice – « Mme Obo », comme on l'appelle. Je frappe à sa porte et entre avec sa permission.

« Qu'est-ce qui se passe, François ? »

Elle me connaît bien, mon frère a passé deux ans dans son école. Elle est russe, comme papa. D'ailleurs, elle est peut-être invisible, elle aussi. Mais si elle ne l'est pas, comment lui expliquer ? Je n'ai pas le cœur à lui mentir, pas à elle. Aussi je réponds au plus près de la vérité.

« Ce qui se passe ? Je n'en sais rien... », lui dis-je.

Elle me laisse repartir sans me poser trop de questions mais je vois bien à son air que mes réponses ne l'ont pas vraiment satisfaite et surtout elle m'a donné un mot que je dois remettre à ma mère. La soirée s'annonce difficile.

Pour rentrer chez moi, je décide de prendre mon temps, c'est-à-dire de rentrer à pied. Certes, je n'échapperai pas à une explication, mais au moins je vais en retarder l'échéance.

De toute façon, j'ai un nouveau statut. C'est indéniable. Il faut donc juste que je me fasse à l'idée d'être différent.

IV

Le commencement
de mes débuts difficiles

Après mon frère, ce fut à mon tour de naître.
J'étais, paraît-il, un bébé difficile. Je pleurais
tout le temps, je hurlais même. Je mangeais et je
dormais peu, bref, lorsqu'on me couchait pour
faire ma courte nuit et qu'enfin je m'endormais,
tout le monde était soulagé. Après les couches
dont je ne me souviens pas tellement, j'ai appris
à moins pleurer, la station debout, à exprimer
des désirs et des souhaits. Et la famille au grand
complet s'est mise au travail pour me faire
entrer dans la vie.

Papy s'était chargé de l'histoire en me racontant la « Grande Guerre », celle de 14. Puis il me
raconta celle de 39, la plus meurtrière de tous les
temps. Pourquoi la Première Guerre était celle
qu'il appelait « la Grande », je n'en savais rien.

Mais comme il y avait été grand blessé, je me disais qu'il n'était peut-être pas très objectif. Papy avait toujours été vieux. Pendant la guerre, toujours la sienne, la Grande, il avait d'abord été gazé puis avait reçu un éclat d'obus dans la colonne vertébrale. La moelle épinière avait été touchée. On l'avait laissé pour mort sur le champ de bataille et entassé dans une charrette avec d'autres cadavres. Mais en fait, il était encore en vie, et ses gémissements avaient fini par alerter les brancardiers. On l'avait alors conduit à l'hôpital militaire le plus proche. Là, les officiers médecins l'avaient condamné une seconde fois. Ils l'ont laissé sans soins après l'avoir déclaré « perdu pour la médecine ». Mais papy était belge. Une robuste constitution et une volonté hors du commun se sont chargées de le ramener à la vie. Il en a néanmoins gardé des séquelles toute sa vie : il était asthmatique, maigre et tellement perclus de rhumatismes qu'il ne pouvait rien tenir dans ses mains. Comme il avait eu des cheveux blancs très tôt, c'était l'Autorité de la famille. Deux fois par an, il était convié à se présenter devant les plus grands professeurs de médecine de la planète : son cas avait fait école. Il faisait d'une pierre deux coups puisque étaient réunis des pneumologues d'un côté et des neurologues de l'autre.

La seule chose qui l'ennuyait était de devoir se présenter tout nu devant autant de monde. Mais au nom des progrès de la science, il en avait finalement pris son parti. Demi-mort à vingt ans, il mourut définitivement à quatre-vingt-cinq ans, de vieillesse, je crois. Mais il avait eu le temps de me raconter l'histoire.

Babouchka, elle, m'avait enseigné la géopolitique en m'expliquant que la France n'était pas le seul nombril du monde mais qu'il y avait aussi la Russie. Elle me raconta que les Américains nous avaient sauvés et qu'ils étaient soit soldats, soit milliardaires, et qu'enfin les Allemands et les Boches étaient souvent sales et méchants. Le mari de babouchka, qu'on aurait sans doute appelé papouchka, était mort en déportation. Il était très grand, très cultivé et parlait beaucoup de langues. Il paraît qu'un jour, un de ses amis, le croisant dans la rue, l'interpella et lui demanda pourquoi il parlait tout seul. Pris en défaut, mon papouchka marqua un temps de réflexion puis lâcha : « Parce que ça fait plaisir de parler avec quelqu'un d'intelligent. » C'est la seule chose que je savais de lui.

Mamie m'avait inculqué la distance et le devoir, c'était une femme de distance et de devoir. Papa m'avait donné les premiers rudiments de pudeur : il ne m'avait jamais serré dans

47

ses bras. Mon frère m'avait montré la délation, la trahison et la veulerie. Ma mère s'était chargée de m'aimer, c'était le plus beau des cadeaux.

Une fois ce minimum d'éducation acquis, l'école devait donc prendre le relais.

Il faut d'abord préciser que j'étais gaucher, et en plus gaucher gauche, c'est-à-dire que j'étais maladroit et plutôt dans la lune. Mamie, elle-même gauchère, en savait tous les inconvénients. Aussi s'était-elle mis en tête de faire de moi un droitier, en m'expliquant que la main gauche était celle du diable. Je devais avoir cinq ans et à la pensée d'avoir le diable dans ma main gauche, j'étais terrifié. Mais fasciné. J'avais à voir avec le diable. J'écrivais comme lui, c'était sa main qui me guidait. D'ailleurs, deux ans plus tôt, ma mère m'avait déguisé en diablotin pour un bal costumé. Ce diable qui était entré en moi n'allait pas attendre longtemps pour faire parler de lui.

Nous étions à Yvetot, une petite ville de Normandie, quand mamie commença mon apprentissage. Dès que je prenais un objet avec la main du diable, elle me donnait une petite tape et si je recommençais, la tape devenait moins légère et ainsi de suite. Je ponctuais toutes ces brimades par des « mais heu... » crescendo. Elle n'alla jamais jusqu'au coup de poing.

Mais cette main du diable continuait de me travailler. Je me mis à mentir et à voler. Une fête foraine estivale m'en donna l'occasion. C'était la première fois que je voyais une fête foraine. Je l'ai trouvée très jolie parce qu'elle était de toutes les couleurs. Ça changeait de Paris, qui était encore très gris à ce moment-là, presque noir et blanc, comme dans les films de l'époque. Il y avait un stand de tir à la carabine. On pouvait tirer sur une espèce d'écran de télévision dans lequel un ours servait de cible, et lorsqu'on la touchait, l'ours se levait puis tournait sur lui-même en émettant un grognement. Puis il s'accroupissait à nouveau. J'aimais beaucoup. J'avais demandé à en faire mais tout le monde avait refusé. Ma main gauche fit le reste.

Profitant de la sieste de mon père, elle se glissa dans sa veste, prit le portefeuille, l'ouvrit et en retira un billet de cinquante francs. Ma main gauche n'avait aucun remords. Au contraire, elle trouvait ça très excitant. Elle et moi sommes donc allés à la fête où on s'est amusés comme jamais. En une journée, j'avais découvert la joie de voler, de mentir et de tuer un ours. Un bon petit diable, en somme.

Lorsque la main droite me devint plus familière, ce fut le temps de la rentrée des classes. L'entrée en onzième, le cours préparatoire : la première fois.

V

L'école

C'est maman qui m'avait conduit à l'école. Nous étions une bonne vingtaine à agripper la main ou la jupe de nos mères, tous submergés par l'émotion. Les larmes commençaient même à couler sur les joues de certains. Je ne me sentais pas très bien moi-même. Il y avait là un effet de dominos, je sombrais moi aussi. Maman avait beau m'expliquer que j'étais un grand garçon maintenant, que c'était pour mon bien, rien n'y fit. Je me mis à pleurer et ma mère avec moi. Où était le bien à se quitter ? Je n'y voyais que du mal.

La cloche clocha et c'est en reniflant que nous nous mîmes en rangs pour l'appel, nos visages toujours tournés vers la sortie de l'école pour essayer d'apercevoir une dernière fois nos mères et leurs visages familiers. À l'évidence, elles nous avaient abandonnés. J'étais devenu le Petit Poucet. On nous fit entrer dans la classe, et c'est le cœur lourd que nous prîmes possession de nos pupitres. Mme Chatignoux fut ma première maîtresse. Son mari était lui aussi instituteur, il avait eu mon frère comme élève. J'étais donc en pays de connaissance.

Mme Chatignoux était très gentille et c'est avec beaucoup de douceur qu'elle nous expliqua que nous allions, tout au long de l'année, apprendre à lire et à écrire.

La première question qu'elle posa était de savoir s'il y avait des gauchers parmi nous. Personne. Je ne sais pas pourquoi, un réflexe peut-être, mais finalement ma main se leva. J'avais décidé de redevenir gaucher pour être le seul. L'apprentissage fut fastidieux. L'encrier était à droite. Lorsque je trempais la plume dedans avec ma main gauche, je tachais immanquablement la page blanche. Enfin blanche, c'est un bien grand mot, puisqu'elle était souvent maculée des essais précédents. On avait commencé par apprendre le *a*, un rond avec la barre à droite, mais comment savoir où était la droite ? La maîtresse nous avait expliqué que c'était la main qui écrivait.

Je peux dire que tous mes ennuis ont débuté à ce moment précis.

Confondant la droite et la gauche, je plaçais les barres à gauche lorsqu'elles devaient être à droite, et réciproquement. J'inventais toutes sortes de lettres. Mes *p* étaient des *q* et mes *b* des *d*. On arrivait à me lire toutefois, mais avec un miroir : si on avait le temps, un peu de bonne volonté, et l'objet sous la main. Eh oui, déjà l'importance du miroir...

Lors des séances d'écriture, la maîtresse circulait parmi les rangées pour vérifier notre travail et nous aider. Lorsqu'elle s'arrêtait derrière moi, je me retournais toujours vers elle avec un vague sourire inquiet et interrogateur. Et c'était souvent un mélange de tristesse et d'incompréhension que je lisais dans ses yeux.

« C'est pas facile, hein ? » lui disais-je.

Mon écriture posait aussi beaucoup de problèmes à la maison où l'on ne comprenait pas pourquoi j'étais redevenu gaucher.

Pour les chiffres, le problème était le même. Comment différencier le 6 du 9, le 3 du 8, le 1 du 7 ? Il n'y avait pas moyen. Mais j'étais heureux, tout le monde s'intéressait à moi.

J'étais en revanche assez doué pour la lecture et le calcul mental. Mes notes n'étaient pas mauvaises du tout. Mais devant mes pâtés d'encre, et surtout pour faire plaisir à maman, je me décidai, deux mois plus tard, à changer de nouveau de main. Là commença une période assez triste de mon histoire. Mon écriture était devenue complètement illisible. Mes mots ne voulaient plus rien dire. Et comme je savais lire maintenant, je voyais bien, en essayant de comprendre ce que j'avais écrit, qu'il y avait un problème. Un très gros problème, même. J'assistais impuissant à mon œuvre : j'écrivais, certes avec la main droite, mais au lieu d'écrire de gauche à droite, j'écrivais de droite à gauche, tout cela devant mon regard incrédule et, je le jure, contre ma volonté. Ma maîtresse était très embêtée. Elle restait souvent un long moment derrière moi, silencieuse, hochant la tête, l'air pénétré, à essayer de comprendre mes mots. Je hochais la tête, moi aussi, au cas où ç'aurait pu l'aider et restais aussi silencieux qu'elle. Ainsi, nous assistâmes ensemble au spectacle désolant de ma première dictée de droitier. Assez vite, elle appela ses collègues, eux-mêmes bientôt rejoints par le directeur. Tous maintenant opinaient de la tête, perplexes, dans un murmure auquel je ne comprenais rien. Ils s'affairaient autour d'un petit miroir. Quelqu'un eut l'idée d'en apporter un deuxième puis un troisième, qu'ils firent bouger devant ma feuille d'écriture. Tout à coup, au milieu d'une masse de signes informes, je vis nettement un *a* et un *b*. C'étaient un vrai *a* et un vrai *b* ! L'air triomphant, je me retournai vers les adultes, l'index pointé vers les deux bonnes lettres. Le murmure se transforma en brouhaha. Ils me regardaient toujours. J'étais fier : je savais écrire avec ma main droite.

Devant l'ampleur de la catastrophe, maman fut convoquée assez rapidement. Elle avait un bon contact avec la maîtresse mais il se révéla tout de même insuffisant pour qu'on me fichât la paix. Elles avaient décidé de me mettre à niveau et de se revoir ensuite. Nous étions en janvier. Mes activités consistèrent désormais à écrire, et écrire, et écrire sans cesse, d'interminables phrases de gauche à droite. Deux mois plus tard, j'étais guéri. Il n'y eut même pas de rechute. Il faut dire que toutes mes récréations y étaient passées et les goûters aussi.

La lecture ne posa pas de problème, enfin pas tout de suite. Nous faisions partie d'une école pilote. Les deux classes de onzième, consacrées à l'apprentissage de la lecture et de l'écriture, étaient scindées en deux : l'une, traditionnelle, l'autre, cobaye d'une méthode appelée « globale ». Probable nouveau signe du destin, j'étais du côté des cobayes. Ça commençait bien, la vie !

Gaucher contrarié, dyslexique, dyscalculique, dysorthographique : tous ces dys- pour un zéro programmé.

Je me suis pourtant retrouvé au tableau d'honneur à la fin de cette année-là. Puis à nouveau pendant les deux années qui suivirent. J'étais un élève « appliqué, intelligent et doué ». Dixit chacun de mes maîtres. Les choses se compliquèrent en huitième, lorsqu'on mélangea les deux classes. Je rétrogradai immédiatement et de manière vertigineuse pour bientôt faire partie des derniers de la classe, sans que l'on comprenne vraiment pourquoi.

Je m'en fichais. En étant dans les derniers, je devenais un chef. C'était un moyen très sûr pour me faire remarquer. J'aimais par-dessus tout me faire remarquer. Un été, mon frère avait été malade. Nous étions en vacances mais pourtant il se plaignait tout le temps. Je trouvais cela très pénible. Ma mère s'inquiéta. Elle l'emmena chez un médecin qui diagnostiqua une diphtérie. Mon frère faisait le fier, moi la tête. Il avait une grave maladie et tout le monde était aux petits soins pour lui. En rentrant à Paris, ma mère, par acquit de conscience, décida de l'emmener voir un professeur, un très grand professeur. J'avais beaucoup insisté pour qu'elle m'y emmène aussi.

« Toi, tu n'en as pas besoin. Tu n'es pas malade », répondit-elle.

Pour essayer de la détromper, j'avais donc commencé à travailler quelques symptômes, calqués sur ceux de mon frère, mais en plus souriants, naturellement. J'obtins finalement gain de cause. Après nous avoir examinés tous les deux, le professeur demanda à ma mère si elle était bien assise. Elle lui répondit que oui. Le docteur lui annonça alors que nous avions contracté la poliomyélite. À des degrés certes infimes mais tout de même. Comme maman était bien assise, elle ne tomba pas à la renverse mais elle émit un petit cri qui en disait long sur son émotion. Le soir même, Philippe et moi étions devenus des héros. Philippe surtout, car c'était lui qui avait développé les plus gros symptômes. En vrai. Toute la famille n'avait d'yeux que pour lui. Ça téléphonait du monde entier pour lui parler, l'encourager, et moi, rien. Je demandai à maman si j'avais la maladie moi aussi. Elle m'embrassa et me dit qu'heureusement pour moi ce n'était pas grave. C'était pas grave, d'accord, mais j'étais quand même malade, oui ou non ?

« Oui », me dit-elle.

Je m'endormis grand malade, mais tout de même guéri.

Le lendemain, il y avait école. Mes camarades allaient être servis. J'attendis la récréation pour leur annoncer la grande nouvelle mais personne ne me crut. Je n'avais ni les mots pour convaincre ni surtout de symptômes à exhiber. Le soir, je fis en sorte de rentrer chez moi accompagné de Nicolas. Je l'avais choisi pour être mon témoin. Lui, tout le monde le croirait : son père était explorateur. Ma mère lui confirma sans difficulté ma maladie. Le lendemain, j'étais l'unique chef de la classe. Avec un peu de chance, j'aurais à la fin de l'année le prix de camaraderie. Tous les ans, ce prix que je convoitais tellement allait invariablement au premier de la classe, Olivier Costes. Il ne parlait pourtant à personne, il était antipathique, mais comme il était le premier, tout le monde votait pour lui. En plus il portait des lunettes et avait un appareil dentaire : le combat était par trop inégal. Le manque d'imagination de mes camarades me plongeait dans des abîmes de tristesse. Un mois avant le vote, tout mon argent de poche passait dans l'achat de malabars, de carambars, de mistrals et autres friandises que je distribuais généreusement à l'ensemble des votants. Ça coûtait bonbon mais ça ne servait à rien. Là, avec la polio, je prenais de l'avance sur mon concurrent. De plus, j'avais maintenant un allié de choc, Nicolas, le fils de l'Explorateur.

VI

L'amitié

Lui, je l'ai aimé tout de suite, dès la première
année de communale. Il était habillé avec des
pantalons en velours, tandis que nous étions en
culottes courtes. Et il portait des lunettes. Il a
tout de suite eu un réel ascendant sur moi.
Quand il m'a appris que son père était explorateur, j'ai décidé sans hésiter que ce serait lui
mon meilleur ami.

« Quoi, ton père est EXPLORATEUR ? ! ! ! »
ai-je fait.

Je lui ai demandé plus de précisions sur son
père : où il était, quels pays il avait découverts
et s'il était ami avec Christophe Colomb. Nicolas m'a alors expliqué que Christophe Colomb
était mort depuis longtemps et que son père
n'avait malheureusement pas eu le temps de le
connaître. Nicolas répondait toujours posément

car c'était un garçon très calme. Nous sommes vite devenus inséparables. J'allais dormir chez lui, il venait chez moi, mes parents l'aimaient beaucoup, sa mère m'adorait, mais je n'avais toujours pas vu son père, car il était Explorateur. Et puis un jour...

Un samedi. J'étais chez mamie. Nous regardions « Le monde des explorateurs » à la télévision, et enfin je l'ai vu : c'était lui, l'invité. Quel choc ! J'étais surexcité. Je balbutiai à mon papy, assis à côté de moi sur le canapé, que je connaissais l'invité, c'était le papa de Nicolas. Là, dans le poste !

« Oui, oui », a dit papy. Pas plus. Papy n'a jamais été très expansif. J'ai alors bondi du canapé pour aller chercher mamie, qui était dans la cuisine. J'imaginais sa fierté et je savourais la mienne à l'avance. Je la poussai donc en trépignant jusque devant la télé mais les seuls sons qu'elle prononça furent : « Mais oui, mais oui. »

Maman n'était pas là. Elle, elle aurait compris. Elle aurait confirmé. Je venais d'être quelqu'un d'important et tout le monde s'en fichait. J'étais décidément bien seul.

Le lundi, je retrouvai Nicolas à l'école. Aucun de nos camarades n'avait la télévision, personne ne lui parla donc de son père, sauf moi. Nicolas non plus n'avait pas vu l'émission. Il me revenait donc la lourde tâche de lui faire un juste compte rendu des exploits de son père. À vrai dire, je n'avais pas compris tout ce qu'il avait dit. Il employait beaucoup de mots que je ne connaissais pas et, à la longue, j'avais fini par perdre un peu le fil de son exposé. Devant Nicolas, je dus donc improviser. Je lui parlai des Indiens, mais pas des cow-boys, de Bornéo sans en rajouter et enfin je tentai les Esquimaux, sans trop y croire mais tant pis. Je ne contrôlais pas très bien la situation mais Nicolas restait néanmoins attentif à mes délirantes aventures. La cloche me sauva, nous devions rentrer en classe.

Le cours suivant fut entièrement consacré à imaginer de nouveaux territoires pour Nicolas, de nouvelles rencontres entre son père et des autochtones plus ou moins accueillants. Et à la récréation, je lui offris mes nouveaux récits, tout aussi incompréhensibles que les premiers mais qu'il eut la gentillesse d'écouter.

C'est alors qu'il m'invita chez lui pour me présenter son père. Le fort sentiment de honte à l'idée d'être démasqué se dissipa très vite à la perspective de rencontrer enfin mon héros. C'est la gorge nouée que je rentrai dans son appartement. J'entendis la voix de l'Explorateur et enfin je le vis.

La première impression, à vrai dire, ne fut pas très bonne. Il était habillé normalement. Certes, il ne portait pas de cravate mais il avait un pantalon et une veste de velours, tout cela avec une chemise blanche. Ma déception était à la mesure de mes espérances : immense. Je l'avais vraiment imaginé autrement. Il aurait quand même pu s'habiller en explorateur. Il n'avait même pas le chapeau. Je me retournai vers Nicolas, assez gêné pour lui, mais comme il ne montrait aucun embarras, je fis comme si de rien n'était. Et peu à peu, je laissai tout de même l'Explorateur m'impressionner. Au fil des mois, mon regard s'était peu à peu habitué à la décoration exotique de leur appartement : couvertures de zèbre, têtes de buffle, sagaies et autres masques africains. Mais la présence de cet homme redonnait à ces objets toute leur force, celle du premier jour. J'avais décidé de lui plaire et pour lui prouver mon courage, je m'approchai d'une peau de léopard qui servait de tapis et commençai à caresser la tête de l'animal empaillé d'un geste faussement décontracté. J'étais vraiment dans son élément et finalement assez fier de lui montrer quel grand garçon j'étais. Il eut un grand sourire aux lèvres, juste à côté de sa pipe, et me prit sur ses genoux. Il venait de faire de moi un roi. Je lui en serais toute ma vie

reconnaissant. La décoration de leur appartement n'avait pas grand-chose à voir avec celle
de chez mes parents et encore moins avec
celle de chez mamie ou babouchka, mais finalement mes capacités d'adaptation firent le reste.
Je me sentais bien ici et un peu comme chez
moi.

Mais voilà que justement j'y arrive chez moi,
et que dans peu de temps ça va barder. La lettre
de Mme Obo, la directrice, est toujours dans ma
poche. Je la triture, elle me chiffonne.

Je me suis mis tout nu devant toute la classe.
Ça continue bien un peu de me tracasser. J'essaie
d'élaborer des stratégies de défense toutes plus
nobles les unes que les autres mais aucune ne me
semble vraiment efficace. Je marche la tête basse,
préoccupé par la délicate situation dans laquelle
je suis. Le pire, c'est que ce n'est pas la première
fois. Il y a déjà eu la bibliothèque.

On y va chaque semaine avec l'école et on y
passe deux heures. Deux heures, obligés à lire.
La salle est grande, claire et surtout très silencieuse. Elle m'intimide beaucoup. Je n'ai jamais
vu autant de livres.

Lors de notre première visite, l'instituteur
nous avait demandé d'en choisir un que nous
viendrions lire chaque semaine. Toujours le
même, jusqu'à ce qu'on l'ait fini. Le choix était

donc crucial. J'avais passé un long moment devant les rayonnages jusqu'au moment où j'avais été attiré par une couverture illustrée : *Eugénie Grandet*, de Balzac. Un livre que je n'aurais jamais, JAMAIS, eu l'idée de lire s'il n'y avait pas eu cette couverture haute en couleur. Mais j'avais choisi. Ce serait donc *Eugénie Grandet*. À dix ans, ce n'était pas une bonne idée. Le regard d'admiration que m'avait jeté la bibliothécaire quand je lui avais présenté le livre s'était refermé sur moi comme un piège. J'avais entraperçu une lueur d'amour dans ses yeux. Comment renoncer à l'ivresse d'être l'élu ? Pourtant, j'aurais dû. Je m'en étais rendu compte quelques minutes plus tard en commençant la lecture par la dédicace.

À MARIA,
Que votre nom, vous dont le portrait est le plus bel ornement de cet ouvrage, soit ici comme une branche de buis bénit, prise on ne sait à quel arbre, mais certainement sanctifiée par la religion et renouvelée, toujours verte, par des mains pieuses, pour protéger la maison.

Ça commencait bien. Ça allait être comme ça tout le temps ? Mais qu'est-ce qu'il disait ?

Quelle langue il parlait, ce Balzac ? C'était donc ça, la littérature ? Pourquoi on ne m'avait pas prévenu ? La page suivante était encore pire. Elle durait une vraie page, avec beaucoup de mots. Je ne comprenais rien. Mes yeux glissaient sur les phrases, les mots devenaient des successions de lettres sans aucune signification. Mon instituteur était très intrigué par mon choix, et moi aussi. Je donnai le change pendant plusieurs semaines. La seule chose que j'avais à faire, c'était de bouger un peu les yeux et de tourner les pages régulièrement. Le marque-page avançait donc dans le livre. Jusqu'au jour où M. Blondel nous rendit visite. M. Blondel est le directeur de l'école dont dépend la bibliothèque. Il est très sévère et lorsqu'il arrive dans une salle, même si personne n'est en train de parler, le silence se fait plus pesant encore. Même notre instituteur est intimidé. Nous nous étions présentés à lui chacun notre tour, en montrant le livre choisi. Quand il vit mon *Eugénie Grandet*, M. Blondel me regarda longuement en silence avant de me demander ce qui me plaisait dans ce livre.

« L'histoire », répondis-je mollement, en suppliant le ciel pour que ça s'arrête là.

Mais non, je dus lui résumer ce que j'avais lu. Je commençai à bégayer en prenant un air soucieux et concentré. Je lui nommai la Maria de la première page et l'Eugénie Grandet du titre. Puis plus aucun son ne sortit de ma bouche. Par contre, les larmes me montèrent aux yeux. Je me sentais affreusement bête. Heureusement, je ne suis jamais allé dans son école. Il n'aurait sans doute jamais voulu non plus.

Si j'avais été invisible comme maintenant, ça ne se serait pas passé comme ça. J'aurais reposé le livre, j'aurais changé d'ouvrage, au profit d'un plus petit, écrit gros. Tout arrive toujours trop tard.

J'aurais eu aussi le prix de camaraderie, le seul que je pouvais briguer désormais et que je n'ai jamais pu avoir. Quelle joie pour maman, à l'appel de mon nom, de me voir me lever, traverser tout le cinéma Le Murat pour me retrouver devant M. le Directeur qui, devant tout un parterre de condisciples, m'aurait remis le prix tant désiré et que maintenant je n'aurai jamais.

VII

À la découverte de l'amour

Toujours en marchant pour rentrer chez moi, je croise une jeune fille qui ressemble à ma cousine. L'espace d'un instant, j'ai failli l'arrêter pour lui dire bonjour mais il est impossible que ce soit elle, puisqu'elle vit à Yvetot. Catherine est ma cousine préférée. Aux dernières vacances, l'été de mes dix ans, nous avons partagé nos points de vue sur l'école, les parents, nos frères et sœurs, et la famille en général. Elle a un an de moins que moi. Et un certain trouble a commencé à s'emparer de nous. Mes grands-parents ont à Yvetot une grande maison, où je passe tous les mois de juillet. Comme celle de Catherine est juste à côté, nous sommes tout le temps ensemble. Nous consacrons la plupart de notre temps à parler, jusqu'au jour où ma passion pour son physique a raison de mes derniers préjugés.

Nous étions en train de jouer au docteur. Étant le plus vieux, je m'étais adjugé le rôle du médecin. Annette, la petite sœur de Catherine, ferait, elle, les subalternes. Elle serait ma secrétaire et Catherine, la malade. Elle m'avait appelé en urgence et Annette, qui ne comprenait rien, lui avait répondu que j'étais occupé. Je réussis à rattraper le coup en renvoyant Annette, qui partit sur-le-champ avec mamie : c'était de leur âge. Ma malade et moi allions très bien nous amuser.

Elle m'avait donc appelé en urgence pour une grippe. J'arrivai assez vite chez elle, c'est-à-dire au fond du jardin, dans les groseilliers, à l'abri des regards indiscrets. Ma malade avait beaucoup de fièvre et les yeux fermés. Je lui demandai de bien vouloir enlever le haut de sa robe, ce qu'elle fit. J'étais prêt à m'émouvoir devant sa nudité, mais elle n'avait pas de poitrine : c'était une petite fille. Comme j'étais moi aussi encore un petit garçon, la déception fut certes intense mais courte. Je bâclai mon nouveau métier, demandai à ma malade de tousser, mon oreille collée contre son dos, pris son pouls sans vraiment savoir où il se trouvait et mis fin à ma consultation en lui conseillant le repos. C'est alors qu'elle tomba évanouie. Je ne savais plus du tout quoi faire. Je lui donnai de petites tapes sur les mains et sur les joues, mais rien n'y faisait, elle était toujours inconsciente. Au moment où j'allais appeler les grandes personnes pour qu'elles nous viennent en aide, Catherine murmura dans mon oreille : « Fais-moi du bouche-à-bouche ! »

Ce fut mon premier baiser. Je mis ma bouche presque sur la sienne. Nous fermions et ouvrions les yeux quand, tout à coup, elle se leva comme un ressort : « Je suis enceinte ! » s'écria-t-elle.

Je ne savais pas comment on faisait les enfants, ni comment on s'en occupait, aussi je fus terrifié à l'idée d'être déjà papa.

J'allai illico voir mamie. De ma manière la plus innocente, je lui demandai comment on faisait les enfants.

« Ils naissent dans les choux », me dit-elle.

Cela ne répondait pas vraiment à ma question, mais vu le ton employé par mamie, je savais que je ne pourrais pas la faire parler davantage. Après quelques hésitations, je me décidai à interroger ma mère. Je marchais sur des œufs parce que je me doutais bien que la perspective d'être grand-mère ne l'enchanterait pas plus que ça. Je commençai par lui dire que j'avais la plus jolie des mamans. C'était une façon comme une autre de noyer le poisson.

Puis je me lançai. Avec un sourire candide, je lui posai la même question qu'à mamie.

« Mais mon ange, ce n'est pas de ton âge ! »

« On verra bien quand tu seras mamie », pensai-je.

Je continuai. Je lui expliquai que Catherine avait eu un malaise, que je lui avais fait de la respiration artificielle et que, par le plus grand des hasards, nos langues s'étaient touchées mais que ce n'était pas bon. Je ne donnai pas à maman beaucoup plus de détails sur notre étreinte et j'en vins au fait. Catherine était enceinte. Ma mère éclata de rire, de son si beau rire et pleura de bon cœur. Moi aussi parce que, manifestement, l'incident était clos. Je pensais que c'était fini mais le soir au dîner, maman raconta l'histoire devant tout le monde. La mère de Catherine se mit à rire de son rire de cochon étranglé, ce qui déclencha l'hilarité générale. Je regardai ma cousine, elle était verte de rage, ce qui me rendit rouge de confusion.

Elle resta fâchée tout l'été mais je m'en fichais : je n'étais pas papa, c'était le plus important. Juillet finissait. Je ne la verrais plus avant l'année prochaine et je comptais sur le temps qui passe pour qu'elle oublie.

Le lendemain de l'incident arriva une mauvaise nouvelle. J'avais échoué à l'examen pour entrer en sixième. Ma mère était évidemment dans tous ses états. Dans la lettre était spécifiée mon insuffisance en lecture. Comment ça, je ne savais pas lire ? Ça va pas non ! Je montrai mes capacités à toute la famille et effectivement tout le monde put vérifier que je savais lire. Ma grand-mère, qui était la plus âgée ce jour-là, parla en premier. Elle décida que je savais lire puisque je venais de lire deux pages entières devant elle. Par conséquent, l'Éducation nationale s'était trompée. Grâce à elle, je gagnais un court répit. Mais, dès le lendemain, ma mère partit pour Paris.

Après de nombreux rendez-vous avec les différents services de l'administration, elle se vit confirmer que la méthode globale avait fait des ravages, et que beaucoup de camarades de toutes les écoles de France étaient dans mon cas. Maman, qui ne se laissait jamais faire, ne l'entendait pas comme ça. Aux frais de l'État, elle prit rendez-vous avec un psychologue, qui lui conseilla de reprendre tout depuis le début.

VIII

Ma première psy
ou comment on reprend tout
depuis le début

Et c'est ainsi que je rencontrai Mlle Ferragut. Elle était laide, assez grosse, et sentait mauvais. Elle portait tous les jours à peu près le même kilt, avec l'épingle à nourrice, là, sur le côté. Elle n'avait aucun charme, et surtout je ne comprenais pas ce que je venais faire chez elle puisque je savais lire. Une autre dame était là. Je l'avais vue entrer ailleurs avec un enfant. J'aurais affaire à elle, mais plus tard, et cette fois pour les mathématiques. Donc, dès le premier jour, j'avais une attitude renfrognée. Mlle Ferragut avait, malgré tout, une très jolie voix, légèrement nasale, avec un débit rapide mais très articulé.

Comme premier exercice, elle me proposa d'aller tout seul lire une page d'un livre dans la pièce d'à côté. Décidément, pour les grands c'était devenu une manie, de me faire lire ! Je m'acquittai assez rapidement de ma tâche et revins triomphant à son bureau. J'avais lu ! Mais elle voulut absolument que je lui dise ce que racontait la page de ce livre. Qu'est-ce que j'en savais, moi, de ce que ça racontait ? Par contre, je savais lire : je venais de le faire.

« Relis la page, et reviens quand tu l'auras bien lue ! »

Je recommençai donc ma lecture et je revins à son bureau aussi rapidement que la première fois avec un second « Ça y est ! » tout aussi triomphant que le premier. De nouveau, elle me demanda de résumer la page. J'en étais toujours incapable. Je n'avais aucune idée de ce qu'elle racontait.

« Relis la page et reviens quand tu l'auras finie. »

« Mais euh... », me dis-je.

Je recommençai ma lecture et, toujours aussi rapidement, je retournai à son bureau. Le petit jeu dura un bon moment. Elle me demandait de lui résumer ce que j'avais lu et je ne lui répondais rien. Je restai patient jusqu'au moment où je mis les choses au point en élevant un peu le ton.

« Mais j'en sais rien ! »

Mlle Ferragut me regarda droit dans les yeux et me dit à peu près cela : « La lecture va te permettre d'apprendre et de faire ensuite des études. Mais pour cela, il faut absolument que tu comprennes ce que tu lis et que tu en gardes la mémoire. Donc maintenant, tu vas lire cette page lentement et tu ne reviendras que pour me la résumer. » Je dus lire cette fichue page une cinquantaine de fois. Je finis par la connaître par cœur. J'étais toujours incapable de la résumer et de la comprendre mais au moins je pouvais la réciter. Je retournai donc dans le bureau de Mlle Ferragut, qui me posa de nouveau la même question. Je n'avais toujours pas la moindre idée de ce que je pourrais bien lui répondre. Je ne comprenais rien à ce texte. Je ne savais pas le résumer, alors je le récitai. Elle n'était toujours pas convaincue. De toute façon, il était tard, la séance avait duré une heure et demie et elle était maintenant terminée.

Ce que je ne savais pas, c'est que j'irais voir Mlle Ferragut pendant un an. J'ai fini par l'appeler Michèle. Au bout du compte, j'ai quand même appris à lire mais non sans mal. La technique qu'elle m'a imposée consistait à lire deux ou trois fois une phrase puis, une fois que je l'avais comprise, et seulement à ce moment-là, de passer à la suivante. Au moins maintenant, je savais ce que lire voulait dire et ça me plaisait beaucoup.

Le premier livre dont j'ai ensuite profité s'appelait *Sans famille*. L'histoire d'un enfant, Rémi, dont les parents adoptifs sont si pauvres qu'ils doivent le vendre à un montreur d'animaux. J'étais fasciné par ce roman. Je me disais que c'était sans doute le lot de tous les enfants d'être abandonnés par leurs parents. Dans *Le Petit Poucet* déjà, des parents très pauvres perdaient leurs enfants dans la forêt. Après la lecture de ce livre, je regardai mes parents avec beaucoup d'attention. Est-ce qu'ils avaient l'intention de nous laisser quelque part, mon frère et moi, et de nous abandonner, nous aussi ? Ou bien est-ce qu'ils m'avaient adopté ? J'étais le portrait craché de mon père, disaient les amis, mais moi je ne trouvais pas. Il était quand même nettement plus vieux que moi. Il avait des rides et plus beaucoup de cheveux. Ça me faisait bien sûr un peu peur mais la perspective d'être peut-être un enfant trouvé me mettait dans des états incroyablement délicieux. Je ne rêvais plus que de ça : avoir des parents différents de ceux que j'avais. Peut-être seraient-ils même milliardaires ? J'imaginais tout ce que j'allais pouvoir m'acheter comme bonbons et comme jouets.

Voilà ce qui se passait dans ma tête peu de temps avant que mon père ne m'apprenne ce que je pressentais, à savoir que je n'étais pas son fils, mais bel et bien celui d'un Américain, peut-être pas milliardaire, mais tout de même invisible. Je n'allais pas pouvoir tout m'acheter, mais j'allais pouvoir tout faire. J'étais content. J'avais gagné au change.

IX

Explication de famille

Je suis maintenant devant la maison. Je serre fort dans ma poche la lettre de la directrice, tellement fort, et depuis si longtemps, qu'elle est maintenant complètement chiffonnée. Je suis tendu. Je prends l'ascenseur. J'ouvre la porte de l'appartement. Mon cœur bat très fort. Je suis dans l'entrée, je fais un grand tour dans la maison : il n'y a personne. Quel soulagement ! Je rentre dans ma chambre, je m'assieds à mon bureau, déplie la lettre en lambeaux et la lis.

Je la trouve assez bien, cette lettre, mais elle est très à charge contre moi. Alors je la jette. Ma tension est extrême. J'essaie d'apprendre une leçon. Voilà, je vais tenter un devoir de latin. Pour être tout à fait sincère, je m'y mets sans grande conviction. D'ailleurs, je n'y arrive pas. Mais je suis quand même content : je suis en train d'échapper à une très grosse scène. Les demi-heures passent. Je lis, je m'applique et la leçon est finalement apprise, les devoirs maintenant terminés. Vaille que vaille, j'ai fait comme si... Et puis il y a la sonnerie de la porte. J'espère que c'est Philippe, mais voilà que c'est maman. Je l'embrasse. Je regrette qu'elle n'ait pas été là quand je suis rentré tout à l'heure : ce serait fini maintenant. Peut-être.

Quand je commets une bêtise ou que j'ai une mauvaise note, je mets toujours la table. C'est une toute petite chose mais ça peut aider. Et à tout hasard, c'est ce que j'avais fait une heure avant, sans même m'en rendre compte.

« Tu as eu une mauvaise note ? Tu as fait une bêtise ? »

Je n'ai jamais compris comment maman faisait pour savoir. Je n'arrive pas à la regarder franchement. Dès que son regard accroche le mien, mes yeux se baissent. Je suis vraiment gêné.

« Qu'est-ce qui se passe ? » demande-t-elle sans agressivité.

Alors quoi ? Elle sait ou elle ne sait pas ?

Le téléphone sonne. Répit !

« Bonjour, madame Obo. »

Je pars immédiatement dans ma chambre. Et j'attends. J'envisage plusieurs positions de repli. Je peux toujours faire semblant de dormir ou bien encore tomber gravement malade : c'est facile, il suffit de placer le thermomètre contre une ampoule allumée. Mais pour aujourd'hui, cela me paraît compromis. Il aurait fallu travailler quelques symptômes en amont, avoir émis des plaintes depuis la veille, m'être réveillé avec l'air las et un début de migraine et n'avoir rien mangé à table. Ce sont ces menus préparatifs qui donnent ensuite au verdict du thermomètre toute sa force. Là, une maladie vite improvisée, ce serait du travail bâclé. D'autant plus que ce que maman a dû voir sur mon visage depuis son retour à la maison, c'est plutôt la trace de ma profonde déprime. Et puis elle est mère mais elle n'est pas bête. Ah, je sais ! Je vais prendre mon Gaffiot tout neuf, jamais ouvert en six mois, et je vais essayer de l'apprendre en entier. Rien de moins. Nous avons donc la petite sonnerie du combiné que l'on raccroche d'un côté et de l'autre, le dictionnaire latin-français/français-latin ouvert à la page 64.

Maman entre dans ma chambre. Avant qu'elle ait pu prononcer un mot, je m'entends lui dire :

« Attends ! Excuse-moi, mais je travaille, là ! »

Mal joué de ma part.

« Dis donc ! » gronde-t-elle.

Mais elle continue plus doucement.

« Qu'est-ce qui s'est passé à l'école ? »

Ah ça, c'est une trop longue histoire. J'opte pour le silence, les yeux fixés sur les mots latins. Silence bien vite interrompu : maman réattaque en reposant exactement la même question. Comment lui répondre ? Je feuillette le gros Gaffiot, en faisant semblant d'être vraiment intéressé, et je commence à écrire une version très particulière, vu que je n'ai pas de texte latin sous les yeux. Maman s'est tue. Elle me regarde longuement jusqu'à ce qu'une larme coule sur ses joues. Elle est désespérée. Moi aussi.

Faire pleurer ma mère, je ne connais rien de plus affreux au monde. Je me mets donc à pleurer avec elle. Mes très longs sanglots ne me permettent plus d'articuler un mot, je m'abandonne à mon émotion. Au bout d'un moment, enfin calmés, nous nous prenons dans les bras. J'ai la faiblesse de croire que mon calvaire est fini, qu'elle a oublié pourquoi elle est là, dans ma chambre, mais non, elle recommence.

« Pourquoi as-tu fait ça ? »

Je suis tellement ému par sa tendresse pour moi et par mon amour pour elle que maintenant je suis prêt à lui avouer toute la vérité. Je lui dois bien ça. Je m'entends donc lui dire ce qu'elle sait déjà sûrement, que tout ça, c'est évidemment par rapport à papa. Sans préciser lequel.

Ça tombe bien, voilà justement un des papas qui rentre.

Maman quitte ma chambre pour lui parler. Le pauvre ne sait pas ce qui l'attend. Comme elle a fermé ma porte, je n'entends rien de leur discussion. Seuls des éclats de voix me parviennent. Papa hurle en russe. Puis la porte de l'entrée claque : il est parti. Leurs disputes se terminent toujours comme ça. J'ouvre ma porte, Philippe la sienne. Il m'interroge du regard. Ma moue lui signifie que j'ignore l'objet de la querelle en cours. Nous sortons de nos chambres pour aller aux nouvelles, moi plutôt heureux, Philippe un peu moins car nous sommes en hiver, et l'hiver, ce sont les huîtres. Le saumon fumé avec les blinis, c'est pour l'été. Moi je préfère les huîtres, donc je suis content. Maman me regarde, et comme son chemisier est vert, ses yeux le sont aussi. Je l'ai rendue triste, j'en suis malheureux mais elle ne parlera plus : elle aime les huîtres. On attend. C'est un peu long. Puis la porte de l'ascenseur s'ouvre, la sonnette sonne, je me précipite pour ouvrir et papa est là, avec le grand plateau d'huîtres. Ces disputes me remplissent de bonheur. Le rituel de réconciliation de mes parents est immuable. On se régale et on est de nouveau tous heureux. Je soupçonne même maman d'avoir parfois cherché querelle à papa pour le voir quitter la maison, fou de rage, et revenir ensuite avec des huîtres. C'est quand même bizarre. Elle ferait peut-être mieux de lui demander les huîtres gentiment. Elle les aurait peut-être aussi.

Comme d'habitude, Philippe n'en mange que six. On se partage donc le reste. Ce que je peux l'aimer, mon frère, dans ces moments-là ! Quand le dîner de fête se termine, je retourne dans ma chambre, l'air de rien. Ça a marché. Je ferme ma porte et j'ouvre un *Tintin*. Tout est calme jusqu'à ce que j'entende maman dire à papa qu'il doit venir me parler parce que je me suis mis tout nu en classe. Un instant plus tard, papa entre dans ma chambre.

« Qu'est-ce que c'est que cette histoire ? » demande-t-il d'une voix lasse.

Je réponds sobrement que c'était juste pour voir. Il hoche la tête sans rien dire puis parcourt distraitement mes livres. Il soulève le couvercle du piano qu'il rabat juste après, puis il regarde longuement mes disques. On peut dire qu'il prend son temps. Quand il tourne la tête vers moi, je baisse les yeux. Il se racle la gorge. Il va parler. Mais non, il préfère aller vers la fenêtre qu'il ouvre et qu'il referme. Il est derrière moi maintenant et passe sa main dans mes cheveux d'un geste brusque qui se veut tendre. Il est silencieux. Il est toujours silencieux avec moi, mon père. Quand il me regarde de nouveau, j'ai juste le temps d'apercevoir son sourire avant de baisser mes yeux. Il est en train d'obéir à sa femme, rien d'autre. Alors il laisse filer le temps, en vérifiant sur sa montre que les minutes s'écoutent bel et bien.

« Bon... », soupire-t-il pour conclure ce moment d'intimité entre nous.

Il va partir. La main sur la poignée de la porte, il se racle la voix pour ajouter :

« Tu connais ta mère... »

Et il s'en va. C'est avec une voix ferme qu'il n'emploie pas souvent que je l'entends ensuite dire à maman :

« Je lui ai parlé. »

Je me couche sain et sauf. Il est gentil, papa, quand il me parle.

X

Expériences

Le lendemain, je pars à l'école, prêt pour de nouvelles aventures. Je monte dans le même bus que la veille. Je fais une grimace à mon voisin de barre. Il me regarde sans dire un mot. Alors je m'enhardis et tente une grimace terrible.

« Dis donc, tu veux une calotte ? »

Alors il m'a vu ! Je rougis et bredouille que je ne l'ai pas fait exprès. Ça tombe bien, le bus stoppe à mon arrêt. Je sors et, de dépit, je lui tire la langue. Tant pis pour lui. Je prends le petit train, même punition. La grimace que j'adresse au monsieur assis en face de moi se traduit immédiatement par une remontrance de sa part. On dirait que ça ne se passe pas comme je le voudrais, aujourd'hui.

J'arrive à l'école où je vais devoir affronter le regard de tous. Ils ont vu mes fesses. On a onze ans et c'est grave, les fesses. Pour mieux faire face, j'opte pour la discrétion. À bas le panache, aujourd'hui je choisis le profil bas. Les copains arrivent, ils me regardent en pouffant de rire. On entre dans la classe. La prof de maths me jette un regard mauvais et me dit : « Alors, qu'est-ce que vous allez bien pouvoir nous faire comme bêtise aujourd'hui ? »

Je me défends en silence. Les autres, le rire en coin, se fichent de moi. C'est toute la journée comme ça. Assez mal. À chaque nouveau cours, le corps enseignant me dévisage. Tout le monde est au courant. Même M. Loursat, le professeur de français-latin-grec. Pourtant, celui-là, il m'aime. Il est très gentil, pas du tout comme les autres. Lui, il a compris que nous venions du primaire, que c'est pas facile pour nous d'avoir plein de professeurs, un emploi du temps et tout ça d'un seul coup. Alors il nous fait des câlins, à moi surtout parce que je porte des culottes courtes. Il aime bien caresser mes cuisses et me donner des bisous dans le cou. Il est comme ma maman. Il me dit des « mon chéri » très souvent et me parle en gazouillant. Je l'aime bien parce qu'il m'aime bien et que, en plus, il a une grosse moto. De temps en temps, il me fait même faire un tour dessus. Les autres, ils sont verts de jalousie. Donc, lui aussi a appris ce qui s'était passé la veille. Mais il a surtout l'air déçu de ne pas avoir été là quand je me suis déshabillé. Pourtant, devant lui, je crois que je ne l'aurais pas fait. Je ne sais pas pourquoi.

La cloche sonne. C'en est fini de cette nouvelle journée d'école. Je me précipite hors de l'enceinte pour échapper aux remarques désobligeantes de mes camarades et je file à la boulangerie, lieu de plaisirs sublimes pour des écoliers fourbus par leur dure journée. Je suis le premier de ma classe à y entrer mais il y a quand même beaucoup de monde. Je profite de mon invisibilité pour couper la file et je me place à côté de la caisse, là où se trouvent les mistrals gagnants. Je vais faire une bonne blague : je m'imagine la tête de la boulangère et celle des clients quand ils verront les mistrals suspendus en l'air sortir tout seuls de la boulangerie. J'ouvre donc le bocal pour prendre cinq mistrals en regardant fixement la boulangère puis je souffle d'une voix sombre : « Je suis le fantôme des mistrals. »

Elle me regarde droit dans les yeux : « Dis donc, tu te crois où, là ? Tu crois que tu vas passer devant tout le monde comme ça ? »

Je me retourne, pensant qu'elle s'adresse à quelqu'un d'autre, mais je ne vois là que des regards réprobateurs. Je bafouille une excuse et file sans demander mon reste.

Il faut absolument que je sache si je suis invisible ou pas. Ça devient un vrai problème. Le mieux, c'est de rentrer à la maison, au calme. Arrivé dans ma chambre, je me mets à mes exercices de maths et j'essaie de les comprendre : impossible, comme d'habitude. Je ne vois décidément pas l'intérêt de cette matière et puis ce soir je n'ai vraiment pas la tête à ça.

Alors je descends chez mon copain Patrick. Avec lui, je m'amuse bien. Est-ce qu'il saurait me dire, lui, si je suis invisible ? Jusqu'à présent, en tout cas, il m'a toujours vu. Pour en avoir le cœur net, il faut que je la joue fine. Je lui parle des super-héros, de leurs super-pouvoirs et je lui demande s'il y croit. Et puis surtout, je lui parle de l'Homme invisible et de son fils.

« Tu as déjà entendu parler de son fils ?

– Ben, non.

– Je crois bien que c'est moi. »

Il me regarde en rigolant.

« C'est toi ? »

Et il éclate de rire, de son rire gras que je n'aime pas. Alors je ris aussi, pour faire comme lui, pour ne pas être ridicule, et puis surtout je m'en vais. Lui ne sera plus jamais mon ami. De toute façon, il m'énerve depuis un bon bout de temps déjà. Il est le plus fort de l'immeuble et toutes les filles en sont folles. Ses principales activités sont de faire le soleil, la roue, le poirier, jouer de ses biscoteaux, bref c'est un vrai sportif de base dont l'unique préoccupation est de se pavaner devant les filles. Je commence à apprécier de plus en plus Pierre-Yves qui est vraiment gentil et pas arrogant du tout, un peu sportif quand même, mais du genre pudique. Et puis lui, il habite au sixième étage, juste au-dessus de chez moi, on se comprend mieux, on a de la hauteur. L'autre, le grand sportif, il est au rez-de-chaussée, alors forcément il est rétréci. Voilà, ça lui apprendra, à Patrick. Il faudra que je prévienne Pierre-Yves que c'est lui, maintenant, qui est mon ami. Et puis Pierre-Yves, il a un chien qui est incroyablement marrant : Tommy, c'est son nom, une espèce de bâtard recouvert de poils, très affectueux, et très rantanplan. Je n'aime pas les chiens, mais celui-ci est vraiment très particulier. En plus, il ne sent pas mauvais.

Philippe est dans sa chambre maintenant, et moi à nouveau dans la mienne. Je vais tenter une nouvelle expérience. Je l'appelle pour qu'il vienne me jouer un morceau de guitare. Il est toujours content quand je lui demande de jouer. Ça le rend important de gratter devant moi. Il arrive dans ma chambre avec sa guitare et je le flatte en lui disant qu'il joue bien. Ces compliments ne me coûtent rien : je n'aime pas cet instrument. Moi, j'en bave pour jouer un morceau au piano, mais lui, avec sa guitare, il y arrive tout de suite. Ce n'est pas qu'il ait du talent, c'est que c'est facile. Tout le monde peut jouer de la guitare. Même mon frère. Donc, pendant qu'il se concentre afin de jouer pour la énième fois *Jeux interdits*, je m'éclipse discrètement et file dans sa chambre prendre une de ses chemises. Elle est bien évidemment trop grande pour moi, mais ce n'est pas grave, au contraire. Je l'enfile de telle sorte que mes mains disparaissent dans les manches trop longues et que ma tête soit avalée par le col puis, ainsi attifé, je reviens l'écouter.

« Pourquoi tu as pris ma chemise ? dit-il.

– Comment tu sais que c'est moi ?

– T'es trop con. »

Je suis on ne peut plus perplexe : comment fait-il pour savoir que c'est moi ?

En tout cas, j'existe. C'est déjà ça. Finalement, ça pourrait aller plus mal. Et puis, c'est l'heure de l'arrivée des parents. La table se dresse, la cuisine se prépare, on dîne. Quand ensuite on va dans nos chambres, maman entre dans la mienne et me prend dans ses bras.

« Tu n'as rien à me dire, mon grand ? »

Je suis bien trop fatigué pour penser à quoi que ce soit alors je murmure un « non » de la tête. Je sens bien que je la rends triste avec mes problèmes. Pourtant je fais de mon mieux. « J'ai pris un rendez-vous avec un médecin, demain après tes cours. C'est un pédopsychiatre. Je viendrai te chercher à l'école. Bonne nuit, mon chéri. » Pourquoi je devrais voir un médecin ? Je vais bien ! Et pourquoi un podopsychiatre ? Ah, mais si ! C'est vrai que j'ai les pieds plats. Mais pourquoi un psychiatre des pieds ? Bizarre.

En tout cas je comprends que c'est à mon tour de les faire soigner. Bon. Eh bien, d'accord. Vu ce qui se passe par ailleurs dans ma vie, les pieds, c'est un moindre mal. Oui, les pieds, je m'en fiche. Ça ira tout seul. Enfin, j'espère.

XI

Les ennuis commencent vraiment

Effectivement, le lendemain, maman est à la sortie de l'école. Je n'irai pas au ciné-club avec les copains. Pourquoi est-ce que les ennuis tombent toujours sur moi ? Le trajet avec maman se passe en silence jusqu'à la rue de la Pompe. Là, une secrétaire nous accueille. On remplit un formulaire. Je ne me sens pas très bien, j'ai une boule à l'estomac. J'ai vu sur la plaque d'entrée de l'immeuble : « psychiatre ». Un psychiatre ? Et pourquoi je devrais voir un psychiatre, maintenant ? Qu'est-ce qu'ils sont allés s'imaginer... Mais voilà le docteur Khan. Il m'adresse une sorte de grimace qui doit être un bref sourire de bienvenue. Puis ma mère entre dans son cabinet et il me fait signe de rester dans la salle d'attente pendant ce temps-là. Je me retrouve avec un garçon de mon âge, ou plus exactement de ma taille. Je dois sûrement lui déplaire vu qu'il se met tout à coup à pousser un cri strident qui me glace d'effroi avant de se précipiter pour m'agripper à la gorge. Je hurle ma douleur. Les portes s'ouvrent. Le docteur d'un côté et son assistante de l'autre réussissent enfin à nous séparer. Ils accompagnent ce fou furieux dans une autre pièce, loin de moi. Je ne me sens vraiment pas bien du tout.

Quand ma mère sort du cabinet du médecin, c'est à mon tour d'y entrer. Je m'assieds devant l'immense bureau du Dr Khan. Face à moi, il y a ce monsieur, un très grand docteur à ce qu'il paraît, mais pour ce que j'en vois, plutôt petit. J'observe la pièce autour de moi. Elle est très sombre. Il y a une mappemonde ancienne, tiens, j'aimerais bien avoir la même. Le bureau est en fouillis, on dirait le mien, sauf que je n'ai quand même pas autant de papiers.

Le Dr Khan me regarde fixement. Il a les yeux noirs, un petit nez, une petite bouche mais un très grand front, ce qui est la marque des gens très intelligents, j'ai entendu maman le dire. Il a une blouse blanche mais pas de cheveux et il est assis devant moi. Mes parents m'ont appris à ne pas parler le premier et à attendre que l'on me pose une question pour y répondre. Donc, après lui avoir dit bonjour, je me tais et j'attends. Un très long silence s'installe. Au bout de deux minutes, et c'est sacrément long deux minutes de silence, je croise mes jambes, je touche mes cuisses, je regarde à droite, à gauche, les doubles rideaux, les tableaux, une reproduction de *L'Origine du monde* de Courbet. Je ne connaîtrai que bien plus tard le titre de ce tableau mais pour l'heure, je suis fasciné par cette femme nue dont on voit les poils. Pour dire la vérité, ça me gêne un peu. Et le Dr Khan qui ne me parle toujours pas. Ça dure depuis au moins cinq minutes maintenant. C'est décidément très long. Qu'est-ce que je fais ici ? Qu'est-ce qu'il me veut, ce docteur ? Pourquoi ce silence ? Je soupire, je me tortille ; je ne l'aime pas, cet homme. Il continue de me fixer et ne dit toujours rien. J'ai compris ! Il ne me voit pas ! Bien sûr ! Il doit être sacrément surpris de voir des vêtements flotter devant lui sans visage. Il se gratte le menton. Je l'imite et je rajoute même un grattement de cheveux. Il ne bronche pas. Forcément, puisqu'il ne me voit pas ! Je lui fais une grimace énorme.

« Pourquoi me faites-vous une grimace ? »

Oh non !

« Je ne vous fais pas de grimace. J'ai mal à la joue à cause du garçon qui m'a tapé dessus. »

J'esquisse un sourire triste mais le Dr Khan n'a aucune pitié : le silence revient et s'installe pour de bon.

Puis finalement, il parle.

« C'est bien, levez-vous. »

C'est curieux, cette façon qu'ont les adultes de ponctuer les silences embarrassants par des « C'est bien ! » mais là, peu importe. J'en profite pour me lever d'un bond, trop content d'en finir.

« Approchez ! »

Ce que je fais.

« C'est bien. »

« C'est bien »… Qu'est-ce que je disais ? Il remet ça.

« Mettez votre main droite sur votre cuisse gauche ! »

Pourquoi il me demande ça ? Un médecin ne peut pas demander une chose aussi stupide ! Il y a forcément un piège. Il a peut-être envie de jouer. Voilà, c'est ça, ce doit être un jeu ! Ou bien un genre de test. Oui, mais lequel ? Alors là, aucune idée : je ne connais aucun test d'aucune sorte. Il vaudrait mieux pour moi que ce soit un jeu, j'en connais plus. Il veut peut-être jouer à « Jacques a dit » ? Mais bien sûr ! C'est ça ! C'est étrange qu'il veuille y jouer maintenant. Il est vraiment bizarre, ce docteur, mais avec moi, il va être servi.

À « Jacques a dit », je suis le meilleur de ma classe. Là, par exemple, il ne m'a pas dit « Jacques a dit », donc je ne bouge pas. Passe une dizaine de secondes.

« Vous avez entendu ce que je vous ai dit ? »

Il n'a pas l'air content. À moins que... Mais oui, il veut aussi jouer au « Ni oui ni non ». Là, ça devient dur. Il est sacrément coriace, ce docteur. Les deux jeux ensemble, pour moi, c'est la première fois. Un peu troublé, parce que je ne m'y attendais pas, je réponds : « Euh... Sans doute. »

Il me regarde et se gratte le menton, l'air un peu atterré.

« Pardon ? dit-il.

– Je crois bien. »

Ouf ! Je ne suis pas tombé dans le panneau. Il a vraiment l'air ennuyé, il ne devait pas s'attendre à ce que je sois aussi bon. Je commence à être très satisfait. Je serais même tenté de considérer que j'ai gagné la partie mais ce n'est pas à moi d'en décider. Après tout, c'est lui, le docteur. Il me demande encore une fois si j'ai compris sa question. Il commence à être lourd : qu'est-ce que je fais ? Il n'a toujours pas dit « Jacques a dit ». C'est dur, quand même, ces deux jeux en même temps. Je commence à fatiguer un peu. Je ne sais plus trop où j'en suis.

De toute façon, il me semble bien que j'ai déjà gagné. Alors je peux me taire. Comme je me sens assez malin, j'esquisse un petit sourire, genre victoire modeste.

« Pourriez-vous, s'il vous plaît, mettre votre main droite sur votre cuisse gauche ? » répète-t-il pour la quatrième fois.

Cette fois, il a l'air vraiment excédé. Son ton ne me laisse plus d'autre choix que de faire ce qu'il a demandé.

Mais moi aussi, je suis énervé. Alors, d'accord je lui obéis mais en soufflant méchamment. J'ai quand même tenu longtemps ! Là, ça y est, j'ai perdu à « Jacques a dit ». Mais pas au « Ni oui ni non ».

« Enlevez-la ! » dit-il d'un ton très sec.

C'est pas possible. Il remet ça ! Là, il ne m'aura pas. Je ne bouge pas, je reste très concentré, je tente un « peut-être » finement joué. Le docteur me fixe en se grattant de nouveau le menton.

« Vous comprenez ce que je vous dis ? »
Je hoche la tête.
« Bien sûr. »

Je suis en train de gagner. J'ai à nouveau mon joli sourire de vainqueur. Je n'ai dit ni oui ni non. Quant à « Jacques a dit », en fait, je n'ai pas vraiment perdu, c'est plutôt lui qui est très vicieux. Voilà. Il jette l'éponge. Après m'avoir remercié, il me demande de sortir, ce que je fais sans regret. Je vais dans la salle d'attente pendant que maman retourne dans le bureau du Dr Khan. Mon test doit être concluant. Elle va être fière de moi.

Il y a plein de *Tintin* dans la salle d'attente. J'en prends un que j'aime beaucoup et que je n'ai pas lu depuis longtemps. Pourvu que leur conversation s'éternise ! La double porte de séparation est restée entrouverte, ce qui me permet d'entendre quelques bribes de leur conversation. Une phrase entière me parvient : « Votre fils a beaucoup de problèmes. » Puis, des mots comme « psycho-moteur », « QI », « spatialisation », mais la lecture de *Tintin* est plus passionnante que ce qu'ils se disent.

Mince, voilà ma mère qui sort déjà et je n'en suis qu'aux trois quarts du livre ! Elle a le plus grand sourire triste que je lui aie jamais vu. Tiens, son Rimmel a coulé. Visiblement, elle a pleuré. Mais pourtant, j'ai eu tout bon ! Elle me prend dans ses bras et me serre tendrement contre elle. Ils sont si bons, ses câlins, ils donnent une force incroyable. Du coup, juste avant de sortir de son cabinet, je regarde vraiment méchamment ce Dr Khan : de quel droit il a fait pleurer maman ?

On est maintenant dans la voiture, silencieux tous les deux. Maman soupire en me regardant. « Qu'est-ce que je vais faire de toi ? » murmure-t-elle. Je la regarde, je ne sais pas quoi faire ni quoi dire, alors je me tais et je regarde la ville qui défile. Ce n'était peut-être pas un jeu ? Il aurait peut-être fallu faire ce qu'il me demandait, ce docteur, mais sérieusement, c'était tellement bête.

On rentre à la maison. Maman est toujours triste. Je pars dans ma chambre sans un mot, vraiment désolé de l'avoir encore fait pleurer, si vraiment c'est moi. Je l'aime tellement, maman. À présent, je me rends bien compte que je me suis trompé. « Jacques a dit », tout ça... En fait, lui, il ne jouait pas pour de vrai. Et qu'est-ce qui va se passer maintenant que le Dr Khan a décidé de mon sort ?

Je ne le sais pas encore, mais cet homme vient de fracasser mon enfance.

XII

Secrets

Je décide de me tenir tranquille pendant quelque temps. Ce n'est vraiment pas la peine d'en rajouter, vu l'ambiance qui règne à la maison. Oui, parce que tout le monde commence à me regarder un peu de travers dans la famille.

Je retourne à l'école. Les semaines défilent, mes camarades et mes professeurs ont oublié – ou font semblant d'avoir oublié – mes exploits. Je leur en sais gré. L'année scolaire touche à sa fin, c'est l'heure des grandes vacances, je vais retrouver ma chère cousine Catherine.

Elle avait échappé à la maternité et pourtant, à Noël et au jour de l'an, elle était toujours fâchée. Qu'en sera-t-il maintenant ?

Nous sommes reçus, mon frère et moi, chez ses parents. Le premier repas avec Catherine se passe plutôt bien. Elle s'est approprié la maison de son père, comme le font souvent les enfants, par un « Venez déjeuner chez moi » très de son âge. Elle se comporte tout de suite en parfaite maîtresse de maison. Ce n'est pas très difficile, il y a des tas de domestiques, et sa mère s'occupe de tout le reste. Après le déjeuner, excellent, il est temps de passer aux choses sérieuses.

On va jouer. L'année qui vient de s'écouler a donné une autorité nouvelle à Catherine et c'est donc elle qui décide du jeu que l'on va faire. « Cache-cache », nous impose-t-elle.

Philippe nous regarde, énervé. Il a horreur de ça. « Eh, les gamins, je vous laisse. Moi, je vais avec les grands. » Et il s'en va.

Impossible de jouer à cache-cache à deux seulement. Ce serait trop dur ou trop facile, en tout cas pas très drôle. Il nous faut donc accepter Annette avec nous, la petite sœur de Catherine.

Étant le plus vieux, et aussi par galanterie, je suis le premier à m'y coller. La recherche est d'autant plus difficile que je ne connais pas bien cette grande maison. Quel temps perdu à en explorer les recoins, et à guetter des sons qui ne viennent pas. Mais quelle satisfaction ensuite de retrouver Catherine couchée sous les draps du lit de ses parents, puis Annette dans le placard de sa chambre. Ce jeu finit tout de même par m'ennuyer profondément et je regrette de ne pas avoir suivi mon frère. Catherine décide que c'est maintenant à elle de faire le loup. Annette, qui est vraiment très petite, retourne dans son placard et je me retrouve seul à errer dans cette maison inconnue en quête de la bonne cachette. D'un coup me vient une idée de fils de l'Homme invisible : je vais me déshabiller ! C'est de la triche, je le sais, mais c'est de bonne guerre. Je pars illico dans le jardin, j'enlève mes affaires que j'enferme dans la cabane de jardinage et je vais me cacher tout au bout du jardin, dans les groseilliers. On y est bien, dans ces arbres. J'entends Catherine crier mon prénom, se rapprocher de mon buisson, puis s'éloigner à nouveau. Je suis heureux comme un enfant que je suis. Et puis elle revient vers moi, je sens qu'elle a un peu peur, je glousse dans mon for intérieur, elle brûle maintenant. Moi aussi. D'un coup, je m'offre à sa vue, sûr de mon invisibilité et donc de ma victoire ! Et pourtant, c'est un terrible hurlement qui sort de sa bouche et qui me glace.

« François est tout nuuuu ! »

« Oups, me dis-je. Ça recommence. Qu'est-ce que je vais leur dire ? »

Je me rhabille vite fait, sans prendre le temps de mettre ma chemise et j'arrive torse nu devant sa mère en disant : « Mais qu'est-ce qu'il fait chaud ! Oufff... »

Ouf. Sans un mot de plus, je reprends ma bicyclette et je retourne chez papy et mamie, en espérant que l'incident est clos. Mais comment être sûr avec les adultes ?

Je commence à comprendre que mon invisibilité n'est que de façade, et que, si elle existe, ma volonté n'y est pour rien. Les diverses expériences que je mène se soldent toutes par des fiascos. Enfin, toutes sauf une...

Tous les jeudis, je vais avec Philippe chez babouchka. Après le rituel des doudouchine kines et douchinekamayas, il y a celui de l'argent de poche. Étant le plus jeune, je dois me contenter de la moitié de ce que reçoit mon frère, puis du concombre au citron, puis de la cuisse de poulet/petits pois extrafins, et puis quand même des bonbons. Pourquoi tous les jeudis du poulet ? Eh bien, pour faire plaisir à Henri le quatrième et à sa poule au pot ! Babouchka est russe mais elle connaît l'histoire de France, c'est aussi ça, l'intégration. À la fin de son repas vient la traditionnelle séance de cinéma au Zola ou au Croix-Nivert, parfois, plus rarement, au Saint-Lambert.

Cette semaine-là, c'était le Zola, et toujours la même dame qui déchirait les billets. Je n'ai jamais compris ce rituel qui consiste à attendre que la caissière vous donne des tickets neufs, pour ensuite les présenter à une vieille ouvreuse dont la fonction est de les déchirer en petits bouts. Ce jeudi-là, pendant que babouchka payait nos tickets, je dépassai la vieille dame sans le faire exprès. Elle ne me dit rien. Ce n'est qu'après, une fois assis dans la salle, que je me rendis compte que la dame ne m'avait rien réclamé. J'étais donc redevenu invisible ! Je demandai à ma grand-mère si elle avait bien payé mon billet. Un peu surprise, elle me répondit :

« Mais bien sûr, mon chéri !

– C'était pas la peine, tu sais bien que je suis invisible ! »

Pour la première fois, j'exprimais ma condition à quelqu'un. Mais pas à n'importe qui : c'était ma babouchka. J'attendis son verdict. De son toujours triste et beau sourire de vieille dame seule et apatride, elle me répondit : « Toi, invisible ? Mais oui, mais oui ! Comme moi, mon chéri... »

Babouchka n'avait pas compris ce que je lui avais dit. Elle, elle avait parlé d'elle. De sa discrétion, de la modestie de sa présence sur terre. Alors que moi, je ne faisais pas de métaphore. Je ne me sentais pas discret. Je ne me sentais pas invisible. Je l'étais ! Nuance... Est-ce que oui ou non la dame m'avait demandé mon ticket ? Non. Eh bien donc, point à la ligne.

À la fin du film, nous embrassons toujours babouchka. Nous la remercions de la belle journée passée ensemble et nous rentrons à la maison. Philippe et moi nous séparons à la porte de Saint-Cloud, où il retrouve ses copains tandis que je repars vers la maison.

Ce jour-là, je rencontrai Pierre-Yves qui promenait son chien, Tommy. On fit un petit point sur nos études. Pierre-Yves n'était pas particulièrement brillant et ses professeurs avaient évoqué un possible redoublement. J'étais très embêté pour lui. Pour accompagner son malheur, je baissai la tête et fus stupéfait de constater que la laisse de Tommy était vide ! Ça alors ! Depuis le début de cette rencontre avec Pierre-Yves, quelque chose me semblait clocher sans que je puisse dire quoi. Maintenant, je comprenais ! La plupart des chiens ont la particularité remarquable de pisser toujours aux mêmes endroits. Tommy, bon chien, n'échappait pas à la règle, et son maître non plus. J'étais donc en train d'assister à l'incroyable ballet de mon ami suffisamment distrait pour promener une laisse sans chien au bout et s'arrêter néanmoins à tous les endroits où Tommy avait ses habitudes. J'étais aux anges ! Cette scène montrait bien la fidélité de l'homme envers son animal... C'est alors que je me dis que Tommy était peut être... ? Mais oui ! Il était devenu invisible, lui aussi ! Bien sûr ! C'était ça ! Pierre-Yves ne pouvait pas être distrait à ce point. Il s'agissait de bien autre chose. Je n'étais plus le seul à être invisible ! En plus, l'autre habitait juste au-dessus de chez moi. C'était un chien, mais bon, tant pis. À nous deux, on allait quand même faire une paire terrible ! Après le rituel tour du pâté de maisons, Pierre-Yves et moi rentrâmes dans notre immeuble comme si de rien n'était. Dans l'ascenseur, je lui demandai s'il pouvait me prêter Tommy quelques jours. Pierre-Yves aimait beaucoup son chien et il savait que je ne partageais pas du tout sa passion pour les animaux. Lui voulait devenir vétérinaire, moi médecin.

« T'es sûr ? » me dit-il, après un long regard suspicieux.

J'opinai. Pierre-Yves me tendit la laisse, Tommy se laissa faire et me suivit à la maison, dans son nouveau chez-nous. C'est mon vrai papa qui allait être content. Par contre, les parents chez qui j'habitais n'aimaient pas beaucoup les animaux : trop de soucis, c'est pas propre, faut les sortir, bref, une vraie corvée. Je savais donc que ce ne serait pas une bonne idée de leur imposer ce chien tout de suite. On alla illico dans ma chambre et je lui intimai le silence absolu.

« Il ne faut absolument pas aboyer dans l'appartement. Jamais devant mes parents. Compris ? » dis-je à la laisse vide.

Tommy comprit sûrement ma demande. En tout cas, il n'aboie jamais devant eux. Tommy est un chien formidable. Pour le moment, tout va bien. Maman est entrée plusieurs fois dans ma chambre et elle n'a rien vu. On s'en amuse, avec Tommy. On va s'amuser encore longtemps ensemble. Heureusement qu'il est là, lui.

XIII

Sainte-Barbe

À l'école, en revanche, les choses n'étaient toujours pas très simples. Sans doute pour se débarrasser définitivement de moi, Mme Obo avait convoqué mes parents pour leur signifier, d'une part, mon admission dans la classe supérieure, d'autre part et surtout, la possibilité de m'inscrire dans un vrai lycée parisien. Nous étions en fin de cinquième et j'avais consacré mon année à travailler sans me soucier de plaire aux copains. J'avais mis mon invisibilité de côté, mes rêves en veilleuse, et seule la présence continuelle de Tommy dans ma chambre me servait d'échappatoire. Mes parents étaient fous de bonheur. Ma mère, surtout. Mon père, lui, était juste content à l'idée que ma mère le soit. Mme Obo avait cité deux lycées publics et, au cas où, deux établissements privés qui, selon elle, étaient de grande valeur : l'École alsacienne et le collège Sainte-Barbe. Mes parents, un peu échaudés, se décidèrent pour les deux derniers. Je passai donc les deux examens que je réussis, brillamment j'imagine. Ce fut ensuite à moi de choisir. Mon frère étant depuis deux ans dans un grand lycée, j'optai pour ce qui s'en approchait le plus, tout du moins au niveau bâtiment. Ce serait donc Sainte-Barbe.

Ça y est. Je suis enfin chez les grands, avec des grands. J'en suis d'ailleurs un moi-même. Finis, les problèmes de remise à niveau, je sais lire. Je viens d'avaler *La Chanson de Roland*, *Tristan et Iseult*, toute la chanson de geste, les poèmes de du Bellay, la prose de Montaigne, les *Lais* de Marie de France, Ronsard, sa rose et tout le toutim. Je suis prêt pour la suite. Je veux que mes parents soient fiers, et moi un petit peu avec eux.

C'est le grand jour. La rentrée se fait début octobre, un lundi. Je ne prends plus le petit train mais le métro : un changement à Michel-Ange-Molitor et un arrêt à Maubert-Mutualité. Je monte la rue Valette où se trouve le collège et me voilà prêt pour l'assaut de nouvelles études, que j'espère, avant tout, normales. Après l'appel fastidieux de toutes les quatrièmes, je fais connaissance avec les élèves de ma classe : plutôt

sympathiques. Pour la première fois de ma dou-
loureuse scolarité, je suis dans une classe mixte :
de quoi soigner beaucoup de déceptions passées... Ça valait le coup d'insister ! D'autant plus
que, dans ma classe, il y a la plus belle fille du
monde. Elle s'appelle Claire Gallois et je crois
bien que j'en suis immédiatement tombé amoureux. Mais je ne suis pas le seul. Tous les jeunes
mâles se pavanent devant elle. Eux savent tellement bien faire les paons que je ne peux pas
rivaliser. Ils sont beaucoup plus grands que moi
et surtout nettement moins timides.

Le premier professeur est celui de mathématiques : « Bonjour, je suis M. Huche. On m'appelle la Perruche, la Huchette ou la Cruche. Les
plus politisés sont même allés jusqu'à Huche
Guevara. »

Toute la classe rit de bon cœur.

« Vous avez ri ? Ça y est ? Très bien ! Eh bien
c'est la dernière fois. Maintenant, prenez vos
cahiers et ouvrez votre livre à la page quatre. »

Et pendant une heure et demie, j'assiste au
cours le plus ennuyeux qui m'ait jamais été dispensé. M. Huche ânonne ce qu'il a dû apprendre
étant jeune et, terrorisés, nous écrivons sans rien
comprendre. Ce n'est pas avec lui que je vais
progresser. Dans mon malheur, j'ai malgré tout
de la chance : mes parents n'accordent de l'im-

portance aux matières scientifiques que lorsqu'ils sont malades ou que la France remporte un prix Nobel. Et cette année-là, aucun virus insidieux ne viendra frapper ma famille. Je ne suis donc pas obligé de devenir médecin. Après le professeur de mathématiques, celui de français-latin-grec nous est présenté. Le vieux monsieur répond au doux nom de Lagarce. Et pourtant, nous n'avons pas du tout le cœur à rire aux possibles jeux de mots. Ce vieillard porte son nom sur sa tête. Le premier cours est une tannée. Il commence par un thème, suivi d'une version avec interdiction de se servir du Gaffiot : de quoi en perdre son latin et d'être dégoûté à jamais des langues mortes. Dommage : les deux premières années ont démontré à quel point je peux être bon élève quand un professeur me plaît et, il faut bien le dire, quand c'est réciproque. Les autres professeurs sont, eux, presque sympathiques mais trop tard, le mal est fait.

Fin de journée. En sortant des cours, nous nous sommes tous regardés, persuadés que l'année allait être très longue.

À la sortie du bahut, les plus riches d'entre nous se dirigent vers le bar en face de l'école. Je vais avec eux, très impressionné. Pour moi, c'est la première fois. Tout mon argent de poche va y passer mais c'est important d'être avec eux. Il vaut mieux être tous ensemble pour réfléchir. Il s'agit de trouver le moyen d'envoyer ces deux profs à la retraite. Il y a peut-être la possibilité d'en parler aux parents, qui eux-mêmes en référeraient au directeur. On se monte le bourrichon, les plus hardis décident d'aller voir le directeur. Je les suis sur la pointe des pieds, convaincu que c'est une très mauvaise idée. Effectivement, la bravoure n'est pas encore de nos âges : les bons mots manquent, l'assurance du bistrot aussi, l'impunité ne nous guette plus, et seules des paroles confuses s'échappent de nos bouches. Le directeur, lassé, nous indique la porte. Nos revendications sont épuisées, et nous aussi. On a quand même été courageux.

Ceux qui nous attendaient dehors nous demandent :

« Alors ?

– Ils sont encore là pour un an. On n'a pas de chance. »

Et ça se termine comme ça.

Les jours passent. Je suis de plus en plus amoureux de Claire Gallois. Elle n'a jamais un regard pour moi mais peu importe, j'occupe le terrain. Je suis souvent assis à côté d'elle. Je lui ramasse sa gomme chaque fois qu'elle la fait tomber. Je lui prête mon compas quand elle a oublié le sien. Plein de petites choses comme ça, pas négligeables du tout. Les cours principaux ne m'intéressent décidément pas, l'ennui est de plus en plus pesant. J'ai entendu dire que « certaines personnes sont faites pour les études », ce n'est probablement pas mon cas. Pourtant, s'il n'y avait pas ces deux profs qui nous pourrissent la vie et les études, ça pourrait presque aller. Mais avec eux, prendre le métro pour aller en cours est une punition, et les retrouver, un enfer. Malheureux, terrifiés, contrariés dans notre légitime soif d'apprendre, nous imaginons des maladies très graves qui les emporteraient en deux jours, ou bien encore des accidents affreux qui les éloigneraient de nous définitivement. Je suis le plus doué de tous pour inventer des scénarios catastrophe. Les autres se reposent beaucoup sur moi. J'y gagne d'ailleurs au passage un certain crédit. Mais ça va plus loin encore.

Un matin, je suis près de croire que j'ai peut-être un nouveau don : les deux terribles professeurs manquent à l'appel. On va en étude en poussant des « Hourra ! » tonitruants. Tout ça est sûrement un peu grâce à moi, un de mes scénarios s'est sans doute réalisé mais je reste quand même assez modeste. Ce nouveau don tombe plutôt bien parce que je me rends compte que l'autre fonctionne moins bien. Je suis de moins en moins invisible. Mes nouveaux camarades me regardent de plus en plus souvent avec complicité et Claire Gallois a trouvé mes yeux bleus « rares ». Puisqu'elle les a remarqués, c'est bien qu'elle me voit ! Mais je n'étais pas déçu d'être devenu visible à ses yeux : être bien vu des filles, ça peut avoir du bon.

Le professeur de français remplaçant est arrivé. Il émane de lui une sympathie et un enthousiasme communicatifs. Très vite, nous sommes subjugués par sa façon nouvelle d'aborder tous les sujets. Il s'appelle M. Moineau. Il est tellement bienveillant que personne n'a envie de lui trouver un surnom. En l'espace de trois cours, il nous fait découvrir Camus et beaucoup d'autres auteurs dont nous avons vaguement entendu parler mais qui nous sont encore totalement étrangers. Pour ma part, je commence enfin à travailler, c'est-à-dire que je me décide à lire, que dis-je à lire, à dévorer *La Peste* et *Vipère au poing*. Je suis enfin proche du monde de la littérature. Ce n'est pas trop tôt. Mes notes s'en ressentent, je remonte ma moyenne. M. Moineau va même jusqu'à vanter ma maturité. Qu'il est loin, maintenant, le début de l'année. Je vais tellement bien que tout cela rejaillit sur mon physique. Évidemment je suis toujours en quatrième, et je suis conscient qu'il faudra encore du temps avant de revêtir la blouse blanche, l'apanage des grands. Il me faudra encore patienter deux ans. Claire ne me regarde toujours pas comme je le souhaiterais mais ça ne fait rien, je suis quand même content. Et puis il y a les copains : Brioude et sa banane sur la tête, fan absolu de Johnny Hallyday, le seul de la classe, les autres étant plus Adamo, plus romantiques, quoi ; Bordet, qui rigole tout le temps et qui a une façon si particulière de vous dénoncer quand il a fait une connerie, en se retournant innocemment vers vous lorsque le prof demande « Qui a fait ça ? » Il y a aussi Bizet, le petit-fils du grand compositeur, qui, en cours de musique, explique ses mauvaises notes en invoquant les sauts de génération.

Nous rigolons bien tous ensemble. Je me sens vraiment appartenir à un groupe qui me plaît. À la sortie des cours, il n'est pas rare que nous restions devant Sainte-Barbe pour profiter encore un peu de notre joyeuse bande, même si le plus souvent je dois filer chez moi pour aller promener mon chien. Il ne souffre pas trop de rester seul toute la journée mais il ne faut pas exagérer non plus. De toute façon, les copains, je les retrouverai le lendemain, enfin, si on a école.

XIV

Surprise-partie

Un jour que nous sommes quelques-uns à discuter dans un coin du préau, trois filles de cinquième s'approchent de nous en pouffant. On essaie de se concentrer sur la conversation mais la pression est trop grande et, peu à peu, on se met à bafouiller des incohérences en jetant de plus en plus d'œillades vers les filles. L'une d'elles est vraiment très jolie, elle a de magnifiques yeux verts et des cheveux bouclés. Mais c'est une autre qui s'approche de moi, la plus laide et la plus grosse. Elle vient me demander si je veux aller à sa boum samedi prochain. Très gêné qu'un tel boudin vienne m'adresser la parole devant mes copains, je me contorsionne afin qu'ils ne puissent voir, au milieu de tous mes grands gestes, mon très discret acquiescement. Les trois filles s'en vont, certainement dépitées par l'accueil qui leur a été réservé et par ma pantomime endiablée. Je les regarde s'éloigner, un peu triste, moi aussi. Les deux idiots qui me servent d'amis éclatent d'un rire gras et commentent la grosseur de ma conquête. Prétextant un besoin pressant, je les plante là pour essayer de retrouver les filles. Ça tombe bien, elles ne sont pas très loin. Je ne sais pas trop comment m'y prendre. J'avance d'un pas, je recule de deux. C'est à moi maintenant de leur tourner autour maladroitement. Mais la grosse fille ne m'en veut pas. Dès qu'elle m'aperçoit, elle me sourit et je me lance : « Oui, oui, je serai vraiment très heureux de venir chez toi. »

Dans mon for intérieur, je suis persuadé que les deux autres filles seront là aussi. Surtout les yeux verts. La grosse fille me donne son adresse. Après un rapide clin d'œil, je les quitte pour rejoindre les potes. Ils sont encore en train de se moquer de la grosse qu'ils appellent « la Baleine ». Trop lâche pour prendre sa défense, je leur fais simplement comprendre que, pour moi, l'affaire est classée. Ç'a au moins le mérite de les faire taire. La journée se termine et je suis tout excité à l'idée de ma boum de samedi.

Le jour J arrive. Il n'y a que des jeunes de nos âges. Mais aucune trace des copines de Sainte-Barbe ! Comme je suis déjà moi-même en retard, je me doute qu'elles ne viendront plus. Je me retrouve dans un beau guet-apens. Tous les rideaux sont tirés et les pièces sont seulement éclairées par des bougies. Moi, je ne vois pas l'intérêt d'être dans le noir, on n'arrive même pas à distinguer à quoi sont les gâteaux. J'en choisis un au hasard et je commence à le grignoter dans mon coin. J'ai eu de la chance, il est au chocolat. Tout le reste est d'une tristesse incroyable. Ils ont mis la musique à fond, on ne s'entend pas. Je suis vraiment très mal à l'aise. Je ne connais personne, pas même le prénom de Véronique, qui vient parfois me tourner autour avec un sourire qui se veut séducteur. Je décide de me laisser faire et lui souris en retour, malgré le chocolat. Elle a sûrement vu cela comme un encouragement puisqu'elle est tout de suite allée parler à celui qui met les disques. Il a hoché la tête puis a mis un slow. Je me suis débrouillé jusqu'ici pour ne pas avoir à danser mais là, elle revient vers moi pour m'entraîner au milieu du salon. Je ne sais plus où me mettre. Il m'est déjà arrivé de twister mais jamais de slowler. C'est donc Véronique qui m'apprend.

Car elle s'appelle Véronique.

Quand j'étais arrivé en sixième, la grande mode était de montrer aux autres ce qu'on était capable de faire avec son corps. Les performances les plus saugrenues étaient bienvenues. Tout le monde cherchait sa différence, jusqu'à ce que je découvre enfin la mienne, à force de persévérance. Je pouvais atteindre mon nez avec ma langue. Tout le monde essayait mais j'étais le seul à y arriver. Cela faisait de moi quelqu'un de très respecté. Ça faisait partie de mes exploits. J'aimais beaucoup montrer cette particularité et, s'il s'agissait d'impressionner quelqu'un, je m'empressais de toucher mon nez avec ma langue. Le message était plus ou moins bien reçu, honnêtement, ça dépendait. Je me suis toujours demandé qui a fait ça en premier et pourquoi, et comment, et tout ça. Nous, c'était facile, il y avait eu un concours. Mais les autres, le premier surtout, pourquoi ? En tout cas, son talent s'était perpétué jusqu'à moi. En étais-je maintenant le seul dépositaire ?

Véronique est contre moi, un peu trop d'ailleurs. Elle se pend à mon cou et me susurre des mots doux à l'oreille. J'ai l'idée de lui montrer mon talent, oui, j'ai un peu envie de toucher mon nez avec ma langue, mais je n'en fais rien. J'ai peur de faire le concours avec elle, quelque chose me dit que je ne vais pas gagner. D'ailleurs, dès qu'elle est un peu proche de mes lèvres, j'esquisse un léger mouvement de recul. Je pense à Claire Gallois et à l'amour que je lui porte. Mais je suis troublé par ce qui se passe avec Véronique. Finalement, elle n'est pas si laide. Un peu boulotte, c'est sûr, mais pas vilaine du tout. Si on ne met pas les yeux verts de sa copine à côté, Véronique a même de très jolis yeux elle aussi, et une très jolie bouche. Ça y est, je suis un peu accroché. Elle approche sans cesse sa bouche de la mienne et je commence à avoir une boule dans l'estomac. Tout à coup, on passe le nouveau disque des Beatles, *Michelle*. Tout le monde crie de joie. Pas moi, je ne le connais pas encore. Et pour la première fois, j'entends *Michelle*.

« *Michelle, ma belle, sont des mots qui vont très bien ensemble.* »

Incroyable ! Je comprends tout ce qu'ils chantent ! Comment est-ce possible ?

« *Michelle, ma belle, sont des mots qui vont très bien ensemble. Très bien ensemble.* »

Incroyable ! Je parle anglais ! Je parle anglais ! C'est venu d'un coup ! Comme ça ! Sans prévenir ! Je m'arrête net de danser. Je suis figé par l'émotion. Je repousse Véronique, qui tombe par terre. Je parle anglais !

Finalement, l'anglais c'est comme le français, c'est aussi facile, c'est seulement l'accent qui fait un peu la différence.

Pourtant, la suite de la chanson me pose quelques problèmes. Mais je mets ça sur le compte de la musique, décidément trop forte. Je déchante donc un peu mais j'ai quand même compris tout le début, ça prouve bien que j'ai nettement progressé. Je ne sais donc pas tout l'anglais, juste un peu celui des Beatles. Et c'est au moment où je m'y attends le moins que Véronique met sa langue dans ma bouche.

Elle m'a eu par surprise. Mais qu'est-ce qu'elle fait ? Eh ! C'est dégoûtant, elle a mis sa langue ! Je ne la connais pas, cette fille ! Elle n'est même pas dans ma classe. Catherine, ma cousine, c'était différent, c'était ma famille. Mais Véronique est en train de continuer de plus belle. Elle tourne sa langue autour de la mienne sans s'arrêter puis, tout à coup, elle repart dans l'autre sens. C'est assez compliqué. Je ne sais absolument pas quoi faire. Dans le doute, je ne bouge pas la mienne. Finalement, ce n'est pas désagréable, bien au contraire. Petit à petit, je me prends au jeu et je fais comme elle, sauf que je bouge ma langue dans le sens inverse de la sienne, lentement d'abord, puis de plus en plus vite, et ainsi de suite, jusqu'à ce que je trouve un rythme presque parfait. Ainsi ça sert à ça, une langue ? Et c'est ça, baiser ? J'en ai vaguement entendu parler mais sans jamais réellement comprendre de quoi il retournait.

Maintenant je sais et j'aime bien. C'est donc avec beaucoup de vigueur que je m'entraîne à baiser fougueusement. C'est particulièrement long et baveux. On en a partout. Je suis en apnée. Notre activité est fébrile. Une succession de respirations, de baisers, essuyages de bouches, grandes inspirations puis, à nouveau, baisers, langues, etc. Au bout de dix minutes, je suis surexcité. Je l'embrasse partout. Je ne sais plus quoi faire. Je suis pour le moins ému.

« Qu'est-ce que tu embrasses bien ! » me dit-elle.

Je rougis de confusion, ou peut-être est-ce de plaisir ? Finalement je suis bien avec elle. On continue à baiser pendant environ quatre heures. J'ai les lèvres en feu mais une sensation d'extrême bien-être s'est emparée de moi. À la fin de la journée, je suis amoureux comme un fou de Véronique. Il est 8 heures du soir et je n'ai aucune envie de rentrer à la maison. On a passé la journée à baiser et j'ai touché beaucoup d'endroits de son corps, même les seins.

Il me faut toutefois partir. Les parents m'ont demandé de rentrer pour le dîner. Je prends congé et c'est le cœur léger mais gros de sentiments que je rentre chez moi. Je suis devenu un homme. Alors, c'est ça, faire des enfants ! Évidemment, rien à voir avec ce qui s'était passé avec

Catherine. Je ris intérieurement en repensant à notre inquiétude qu'elle ait pu être enceinte. Mais c'était la première fois pour nous deux alors évidemment on s'était un peu emballés. On s'était imaginé des choses parce que ni Catherine ni moi n'avions la moindre expérience du vrai amour. Je viens enfin de le découvrir et c'est énorme.

À peine arrivé à la maison, je vais directement dans la chambre de Philippe, que je regarde d'un air légèrement supérieur. Connaît-il seulement l'amour, lui ? Il me scrute deux secondes et, de sa douce voix, me dit : « Casse-toi de ma chambre ! »

Non, lui ne connaît rien à l'amour, ou alors il le cache bien.

Les parents rentrent enfin. Il est tard. Ils me demandent comment ça s'est passé. « Alors, ça s'est bien passé ? C'était ta première fois ! »

Philippe ajoute : « Ah oui, dis donc, mais c'est vrai, c'était ta première fois ! Ça s'est bien passé ?

– Oui, dis-je, ça s'est très bien passé. En plus, je parle anglais ! »

Voilà. Ils savent. Autant leur dire tout de suite, vu qu'ils s'en seraient de toute façon très vite rendu compte. Comment ? Je ne sais pas exactement, mais j'imagine que ça doit se voir l'amour. Oh, et puis, c'est gênant, toutes ces questions à la fin.

XV

Petite lâcheté des lendemains

Le lundi suivant, j'ai classe d'anglais. Pour la première fois depuis que j'ai commencé l'apprentissage de cette langue, j'y vais très tranquillement. J'ai progressé à pas de géant pendant le week-end, je peux donc maintenant me dissiper. J'en profite pour regarder Claire. Elle est toujours aussi belle et je me pose la question, la seule question qui vaille désormais : est-ce qu'elle a déjà baisé, elle aussi ? Je lui souris, sûr de moi, et je lui montre ainsi que, pour moi, c'est fait.

À l'intercours, fort de ma nouvelle condition, je parade devant tous mes camarades, lorsque Véronique s'approche de nous. Elle vient m'embrasser et m'appelle « mon chéri » devant les copains. Ils se mettent à glousser, ils pouffent de rire et répètent à tue-tête *mon chéri*. L'horreur. Je me retrouve plongé dans un terrible embarras. *Mon chéri... Il est amoureux !* Mes copains continuent à hurler leurs bêtises en faisant des gestes plus agaçants qu'obscènes avec leurs index. Ils sont hilares et je donnerais n'importe quoi pour qu'ils arrêtent. Je commets alors la première lâcheté de ma petite existence. « Tu dois te tromper de copain ! » je m'entends dire, et je me mets aussitôt à rire bêtement avec les autres, laissant Véronique interdite. Elle est sûrement aussi triste que moi.

J'en rajoute : « Non mais vous avez vu ce boudin ! Mais pour qui elle se prend ? »

Claire assiste à toute la scène. Pour elle, j'ajoute : « Il y a quand même plus belle, non ? »

Les yeux au ciel, Véronique soupire longuement. « Pauvre type... », précise-t-elle, ce qui me laisse pauvre et coi. Claire n'a pas cessé un instant de me fixer. J'ai essayé de lui adresser un compliment flatteur et pourtant, dans son regard, je lis le même jugement que dans celui de Véronique. J'ai été pitoyable.

La honte m'a envahi et ne me quittera plus jusqu'à la fin de l'année scolaire. Je pense sans arrêt à Véronique, à sa bouche, et à mon comportement imbécile, préférant cependant la présence rassurante de la gent masculine à l'amour. Mes copains ont tranché : ils l'ont trouvée moche, c'est réglé pour moi, je ne peux pas aller avec une vilaine. Je suis un vrai crétin, pas tout à fait content de l'être mais un vrai crétin quand même, d'autant plus que, l'année suivante, Véronique mincit et devient une très jolie jeune fille. J'en vouerai une rancune tenace à mes copains, qui n'ont rien su voir.

L'année passe, je suis devenu un bon élève, pas extraordinaire, mais plutôt bon, « intelligent », ils disent. Je vais passer dans la classe supérieure sans problème. Les parents sont contents et moi aussi. Les progrès ont été considérables, principalement en français. Claire ne fait toujours pas trop attention à moi mais j'ai surpris quelques regards qui suffisent à mon bonheur. Et puis au moins, elle n'est sortie avec personne d'autre.

XVI

Le cours de méthode Ramain

Ça y est, je suis en troisième, je suis enfin un grand. À la fin de l'année scolaire, j'aurai quatorze ans. Comme Philippe, j'aurai un Solex et je passerai le BEPC.

Avec maman, j'ai acheté les nouvelles fournitures scolaires. Pour mettre toutes les chances de mon côté, on a choisi les plus belles. J'ai pris de nouvelles bonnes résolutions. Je suis heureux. Tout va se passer au mieux. La veille de la rentrée, maman entre dans ma chambre. Elle a l'air embêté. Je la connais quand elle tourne autour du pot. Je devine qu'elle a quelque chose d'important à me dire.

« Demain, c'est la rentrée. Le directeur de Sainte-Barbe, le Dr Khan, ton père et moi avons décidé que tu suivrais, en plus des cours traditionnels, le cours de méthode Ramain. »

Je n'avais plus entendu parler du Dr Khan depuis au moins un an et l'évocation de son nom ne présageait rien de bon.

« Ce cours te permettra d'être définitivement à niveau et puis tu verras, ce sera très amusant. » Je suis passé dans la classe supérieure sans aucun problème. Est-ce qu'on va enfin me ficher la paix ?

Rendez-vous est néanmoins pris le lendemain matin, une heure avant la rentrée officielle, avec Brigitte. Elle s'appelle Brigitte et elle est très jolie bien qu'elle ait vingt-cinq ou trente ans et que ce soit une vieille. Comme Michèle, la dame qui m'a réappris à lire, Brigitte est psychologue éducatrice. Mais la différence, c'est qu'elle, elle est jolie. Elle est très jolie, même. Je suis prêt à bien travailler, rien que pour lui faire plaisir.

« Le principe du cours, m'explique-t-elle, est d'atteindre la totalité de l'être, c'est-à-dire toi, dans ta globalité. La formation s'appuie sur la coopération et les rapports sociaux que vous aurez entre vous. Il s'agit de susciter la disponibilité émotionnelle et l'aisance motrice. Tu vois ? »

Qu'est-ce qu'elle est belle ! À la fin, elle dit : « Et puis, très important, mes cours ne seront pas inscrits sur ton emploi du temps, ça peut être à n'importe quel moment de la semaine, à la place... » Elle regarde mon carnet de notes de l'année dernière et, avec un grand sourire, elle ajoute : «... À la place des mathématiques, par exemple. » Je suis sur un nuage. Plus de maths ! Claire est oubliée. Dorénavant je serai amoureux de Brigitte. Oui, comme ça, c'est mieux.

On se quitte, Brigitte et moi. Maman est ravie, et moi aussi, même si ce joli moment a été un peu trop court. L'année a l'air de bien commencer, ce coup-ci.

Très vite, je retrouve les copains, toujours Brioude et Bizet. Je ne cherche même pas à retrouver Claire : ce sera dorénavant à elle de se joindre à nous, si elle le veut. Je fais part à Brioude de ma nouvelle situation : je serai le seul de notre classe à avoir le droit de suivre le fameux cours Ramain. Je vois très clairement une lueur d'admiration s'allumer dans ses yeux et j'en suis heureux.

Premier cours de l'année. C'est celui de français. Quel bonheur de retrouver M. Moineau ! Tout ira bien avec lui, c'est sûr. Et, en effet, tout va bien. Il nous parle de Gide et c'est passionnant. Puis vient le cours de maths et là, miracle, c'est M. Matthias qui, en plus d'être un bon prof, est aussi un ami de mes parents. Pas très

très proche, mais quand même assez pour que je sois en confiance. Je sens que ça va être une année formidable.

Au bout de trois jours, au tout début d'un cours d'histoire, un surveillant entre dans la classe et crie mon nom. Je me lève d'un bond, un peu étonné par sa virulence, mais je le suis. Il m'amène à mon premier cours de méthode Ramain. Enfin !

Je suis le dernier à entrer dans la classe spéciale.

Brigitte nous accueille avec beaucoup de bienveillance mais je perds un peu de mon assurance en regardant les nouveaux visages autour de moi. Je ne les sens pas bien, tous ceux-là. Je ne sais pas encore pourquoi mais j'ai déjà une boule à l'estomac. Les tables sont disposées en U. C'est la première fois que je vois ça. On se fait tous face, on se dévisage même, et pour la première fois de ma vie je peux regarder la prof et les « copains » en même temps. Ça fait bizarre mais c'est plutôt marrant.

On se présente les uns aux autres.

Thierry commence, c'est un bègue. Pas un bègue léger, non, un bègue lourd, qui ne peut pas faire autrement que de prendre son temps, et c'est long, un bègue qui dit son nom et qui essaie de dire le reste. Quelle souffrance pour lui quand il prend sa respiration, hoquette, s'arrête à bout de forces, puis courageusement reprend son calvaire. Nous regardons Brigitte pour qu'elle fasse cesser cette torture, mais au contraire elle lui pose question sur question : dans quelle classe il est, et puis s'il travaille bien et que font ses parents – rien d'important en somme, on s'en fiche de tout ça, elle ferait mieux de le laisser tranquille mais non, elle insiste. Tétanisé par son handicap, le pauvre Thierry continue comme il peut. Il ferme les yeux pour se donner du courage et répond par bribes, bravement sans doute, mais de manière incompréhensible.

Je suis choqué par l'attitude de Brigitte et je ne suis pas le seul. Nous nous lançons des œillades furtives, réprobatrices et bientôt inquiètes. Afin d'aider Thierry, nous essayons d'anticiper ses réponses. Quelquefois nos mots l'aident, mais le plus souvent Brigitte nous dit de nous taire et lui demande de continuer seul. Dans n'importe quelle autre classe, ce moment aurait déclenché des rires : on l'aurait imité, on se serait moqués de lui pour rigoler, mais là, rien, pas un rire, pas même un sourire. Nous savons tous intérieurement que nous avons, nous aussi, nos problèmes. En tout cas, les adultes en ont décidé ainsi et personne ne se sent plus à l'abri. Il n'y a plus parmi nous de meneurs, ceux-là qui, par leurs ricanements contagieux, peuvent transformer un incident en hilarité générale. Là, chacun a mal pour l'autre, et pour soi, et tout le monde se sent seul.

Il n'y a donc pas de rires.

L'élève suivant s'appelle Patrick et il est plein de tics Il n'arrive pas à tenir ses mains ni ses bras en place. Même sa tête part vers la gauche ou vers le haut et, maintenant qu'il doit parler, il tient ses mains pour qu'elles n'aillent pas dans tous les sens pendant que sa tête forme de grands cercles dans l'air. C'est très impressionnant. Ça ne doit pas être facile à faire, mais lui y arrive. J'ai un peu envie d'essayer moi aussi, toutefois quelque chose me retient de le faire. Je reste donc tranquille pendant que Patrick continue tout ce grand mouvement sans fléchir. Il en souffre tellement qu'il lâche parfois ses mains pour qu'elles lui mettent des claques. Il a le droit à la même punition que le bègue : Brigitte le harcèle de questions idiotes pendant qu'il lutte pour garder ses jambes croisées et sa tête en haut de son cou. Ça a l'air d'être un combat terrible. Brigitte reste intraitable. Elle pose ses questions et il doit y répondre. Il essaie. L'effort qu'il doit fournir est visiblement colossal. Quand Brigitte le remercie, Patrick est épuisé. Ses yeux sont pleins de larmes et nous n'avons rien compris. Mais ç'a eu le mérite de durer moins longtemps qu'avec Thierry.

Il n'y a là aucun rire non plus.

Ensuite, c'est le tour de Charles. Il est toqué, atteint de « troubles obsessionnels du comportement ». C'est ce qu'il dit en se présentant et, en disant cela, il nettoie sans cesse sa table de travail qu'il fixe bizarrement. Le son de sa voix est presque imperceptible et terriblement monocorde mais Charles fait quand même moins peur que les deux premiers élèves. On verra, ça pourra peut-être devenir un copain ? Il essuie les manches de sa veste sans regarder qui que ce soit pendant que sa voix redevient un murmure. Brigitte lui demande de parler plus fort. Elle est décidément inflexible. Elle insiste pour qu'il nous regarde mais il n'y arrive pas. Il se met à frotter la table de plus en plus fort. Puis il crache dessus, sûrement pour mieux la nettoyer mais je n'en suis pas sûr. Il crache à plusieurs reprises sans jamais cesser d'astiquer. J'ai des haut-le-cœur de dégoût. Pour l'amitié, finalement, on attendra. Embarrassés par ses manières, tous les

131

autres fuient son regard en espérant que, peut-être, cela le mettra plus à l'aise. Brigitte, elle, le force toujours à lever le nez de sa table. Il se met à pleurer de vraies larmes mais elle continue de l'encourager sans se laisser attendrir. Il essaie encore un peu puis s'arrête, le visage baigné de larmes qu'il essuie comme un fou les unes après les autres, comme pour les nettoyer, elles aussi.

Il n'y a, bien sûr, aucun rire.

J'ai les yeux exorbités d'horreur. À cause de ce que je vois, bien sûr, et puis parce que je tente de répondre à une question nouvelle mais terriblement angoissante, venue me tarauder : « Mais qu'est-ce que je fiche là ? »

Éric est assis juste en face de moi. Jusque-là, nous avons eu à peu de chose près les mêmes réactions. Il a l'air aussi calme que moi, simplement lui ajoute un petit sourire à ce spectacle. C'est maintenant son tour. À toutes les questions de Brigitte, il répond d'une voix claire et posée : il épelle son nom, dit sa classe, il est comme moi en troisième, mais en classique, se dit passionné par la musique et la peinture. Il termine par un grand sourire en direction de Brigitte et un charmant : « Voilà, c'est tout. »

Ce sera lui mon copain. D'ailleurs, moi aussi, j'aime la musique.

D'autres cas se présentent, tous très bizarres.
L'avant-avant-dernier a dix-huit ans et n'est
qu'en seconde. Il a donc déjà trois ans de retard.
Il s'exprime de façon enfantine et a l'air parfaitement idiot. C'est de loin le plus vieux, le plus
grand et le plus fort de nous tous. Heureusement qu'il a l'air gentil !

Comme il fait quand même un peu peur, il
n'y a aucun rire, là non plus.

Le suivant s'appelle Paul. Il est petit, porte
une veste avec des coudes en velours et a une
toute petite voix. Il a surtout l'air absent. Il doit
se soumettre aux mêmes questions que les
autres : son nom, sa classe, ses passions. Lui,
c'est les mathématiques. Brigitte lui propose une
équation à laquelle je ne comprends rien mais
qu'il résout en moins de trente secondes. Nous
assistons bouche bée à cette démonstration. Je
suis heureux que la classe ne soit pas exclu-
sivement composée de débiles. Il y a donc aussi
des génies parmi nous et peut-être en fais-je
moi-même partie ? Cette hypothèse-là me plaît
bien et je me mets à rêver un peu jusqu'à ce
que Brigitte reprenne la parole pour nous
apprendre que Paul a un très gros problème : il
est autiste. Elle nous explique ce que c'est. Ç'a
l'air drôlement sérieux. Enfermé en lui-même.

Incapable de communiquer ses émotions, voire d'en éprouver. Bref, lui non plus n'est pas très en forme. Ça en fait un de plus dans la galerie. Depuis que les choses ont commencé à franchement mal tourner, je cherche Éric du regard. Il me semble être le seul normal. Avec moi, bien sûr. Une complicité silencieuse s'est donc installée entre nous et c'est tant mieux.

Et puis vient mon tour. À ce moment, j'ai la gorge sèche, mes mains sont moites et une irrépressible envie de vomir me malmène. Je ne trouve plus mes mots. Je bégaie. Ma main droite échappe à mon contrôle et, pour ne pas la perdre, je m'applique avec la gauche à la placer de telle sorte qu'elle nettoie le bureau de mon voisin. J'ai l'impression d'être une éponge et d'avoir pris toutes les tares des autres. Brigitte me donne un verre d'eau pour que je me calme. Ça veut sûrement dire qu'elle fait une différence entre les autres et moi. Ce petit traitement de faveur me fait du bien et me redonne confiance en moi. Mes gestes peuvent redevenir normaux, ma parole aussi, mais Dieu que j'ai eu chaud ! Je suis d'ailleurs en nage mais mon copain Éric n'a pas sourcillé et garde toujours sur le visage le même sourire bienveillant. Je suis soulagé de ne pas l'avoir déçu et qu'il soit toujours convaincu que moi non plus, je n'ai rien à faire là.

Pour une fois, je ne me plains pas que personne ne rie.

C'est un cours de présentation. Après nous, c'est Brigitte qui parle. Elle parle de confiance en soi, de nouvelles méthodes de travail fondées sur la connaissance de soi, sur la puissance de la relaxation et sur l'importance de se retrouver à l'intérieur de soi. J'écoute d'un œil, de l'autre je m'ennuie. Éric aussi, qui lève les yeux au plafond chaque fois qu'elle emploie des mots savants. L'idiot qui est en seconde écoute Brigitte d'un air béat. Il a l'air amoureux. Moi, le discours de Brigitte m'a nettement refroidi ou peut-être est-ce seulement le contexte ? En tout cas, cette femme, je ne l'aime plus trop.

On regagne nos classes. Je choisis de revenir dans la mienne en héros. Je transforme l'épreuve que je viens de vivre en privilège. Je raconte à mes vrais copains l'exploit que cela représente d'avoir été choisi pour participer à cette nouvelle méthode révolutionnaire. « Elle est surtout pour les génies », leur assené-je.

J'invente aussi une future liaison avec Brigitte, la prof. Je suis son préféré, c'est criant. Et après tout, pourquoi pas ? Il faut bien l'enjoliver, cette réalité-là, sinon ils ne la comprendraient sûrement pas, mes copains.

Le retour à la maison est pour le moins étrange. Je parle à maman de mes curieux camarades. Elle m'écoute à peine. Pour la première fois de notre histoire, elle me semble presque distraite. Mais c'est seulement parce qu'elle prépare sa réponse :

« Tu inventes ! me dit-elle.

— Mais non, je lui assure, ils sont tous fous ! »

Elle me prend dans ses bras pour me calmer.

« Mais si ! Mais ce n'est pas grave si tu es comme ça... »

Comment, *comme ça* ? Qu'est-ce que cela veut dire ? Comment je suis ? Je suis fou, moi aussi ? Mais plutôt que de paniquer, je me laisse aller dans les bras de maman. Là, je sais que rien de mal ne pourra jamais m'arriver.

En effet, la nuit se passe très simplement. Puis une autre encore. C'est le week-end mais peu m'importe : je vois confirmés là les pouvoirs protecteurs de ma mère. Quand il faut retourner à Sainte-Barbe, je suis prêt. Je suis à nouveau en forme. J'ai presque oublié les fous.

Le lundi matin, donc, j'ai cours de français avec mon professeur préféré. Je suis aux anges depuis cinq minutes quand soudain le même surveillant que la première fois arrive. Il redit mon nom en criant et m'ordonne de le suivre.

J'ai envie de me rouler par terre ou de m'évanouir pour ne pas y retourner mais mes copains, qui sont un peu jaloux de ne pas avoir droit, eux aussi, à la méthode Ramain, ne comprendraient sûrement pas. Je ne peux quand même pas les décevoir. Ce ne serait pas bien. Je me lève donc pour aller assister à mon deuxième cours de méthode.

Ce jour-là, le premier exercice que Brigitte nous impose est de pousser des cris en ne prononçant que des voyelles, chacun son tour et ensuite tous ensemble. Pour ma part, j'opte pour le Y, que je prononce évidemment « i grec ». Ça change des autres, je trouve. Brigitte m'en fait la remarque. Je lui rétorque qu'un Y, c'est quand même une voyelle, mais pour elle l'explication n'est pas suffisante. Finalement, pour avoir la paix, je dois hurler « E ! » comme tout le monde. Quel ennui, vraiment.

Puis nous nous attaquons aux ensembles. Je n'ai pas encore étudié cette théorie en cours de maths. C'est prévu pour la fin de l'année mais j'ai quand même eu le droit à une initiation. Je vois donc plus ou moins de quoi il retourne et c'est sacrément coton. Avec Brigitte, la théorie des ensembles prend toutefois une nouvelle dimension puisqu'elle nous donne des cubes et des boules que nous devons seulement emboîter les uns dans les autres. J'ai l'impression d'être en maternelle. Je me ferme comme une huître.

Le soir même, je ne raconte rien à maman. Ni les autres soirs non plus. Je sais même que je ne dirai plus jamais rien de ce qui m'arrive à personne. Je n'ai pas envie que l'on me traite de menteur. Et je continue de penser que je n'ai rien à faire chez Ramain.

Je pars tous les matins à Sainte-Barbe le cœur serré. Là-bas, les cours à peine commencés, une angoisse sourde me prend à l'idée d'être peut-être obligé de retrouver Brigitte. Si une journée se passe sans que le pion vienne me chercher, je quitte l'école incroyablement soulagé. Je rentre à la maison, le cœur presque léger, espérant que c'en est peut-être fini de cette méthode pour moi. Ils se sont rendu compte de leur erreur et vont même s'excuser. Mais le sursis ne dure jamais bien longtemps. Lorsque le pion arrive et fait tomber le couperet sur ma tête, je ferme les yeux de douleur et me lève lentement pour le suivre, la mort dans l'âme.

D'affreuses séances de Ramain se succèdent ainsi. À la fin de l'une d'entre d'elles, Éric et moi nous mettons enfin à nous parler. Lui se révèle être aussi normal que moi et pourtant aucune amitié véritable ne s'est jusque-là engagée entre nous. Nous aurions pu nous sentir solidaires et nous épauler, mais c'est plutôt l'inverse qui s'est produit. Un léger sentiment de défiance nous oppose. Un peu de prudence aussi, ou bien de réserve. Le contexte n'incite certes pas à l'amitié néanmoins, je sais qu'il est là par erreur lui aussi, et que, le cas échéant, je pourrai compter sur lui. J'arrive toujours au cours de méthode Ramain en rasant les murs et rien ne peut me sortir du mutisme dans lequel je m'enferme de plus en plus, pas même l'inébranlable sourire d'Éric à mon endroit. Ce jour-là, pourtant, il s'approche de moi. Nous sommes dans les couloirs, c'est juste après une séance particulièrement odieuse. Éric me demande ce que je pense de tout ça. Je lui lance un regard un peu perdu avant de hausser les épaules pour toute réponse.

Il insiste : « Mais qu'est-ce qu'on fait ici ? Moi, je vais bien ! Toi aussi, non ? »

D'une petite voix, je lui réponds que oui. Je n'en suis plus si sûr. La méthode Ramain commence à porter ses fruits.

Éric répète sa phrase une bonne dizaine de fois.

« Je vais bien ! Je vais bien ! Je vais bien ! »

Il dit cela de plus en plus fort, avec des gestes de plus en plus nerveux. Il se met à sauter en l'air. Il fait des bonds en hurlant qu'il va bien. Ses yeux sont exorbités de colère. Il est effrayant à voir. Lui aussi, alors ? Oui, lui aussi est fou. Je suis donc le seul à être normal. Il n'y a plus que moi. Ou peut-être même pas ? Le doute s'est installé.

Éric se met à donner de grands coups de poing contre les murs du couloir puis contre les très grandes fenêtres d'une salle de classe. L'une d'elles vole en éclats dans un immense vacarme. Il y a du bris de verre partout. La main d'Éric est en sang mais il continue de taper un peu partout sans s'en inquiéter. Des professeurs sortent de leurs salles de classe et accourent. Éric se tape encore la tête contre les murs quand il est enfin maîtrisé par plusieurs adultes. On l'emmène alors qu'il se débat toujours et qu'il continue de crier qu'il va bien.

Je suis terrorisé comme jamais par toute cette scène. Éric vient de me trahir. Je suis seul au monde.

On vient m'interroger sur ce qui s'est passé entre nous. Je raconte ce qu'Éric m'a dit avant d'exploser.

« Il m'a dit qu'il était normal et qu'il allait bien. »

C'est tout ce que je peux dire. Je tremble comme une feuille. Brigitte m'explique d'une voix douce qu'Éric est sujet à ces terribles éclats de violence et que c'est pour ça qu'il est avec nous. *Avec nous.*

Éric revient au bout d'une semaine. Son regard est éteint. Le sourire qu'il arborait a maintenant totalement disparu. Il ne regarde plus personne, pas même moi. Il ressemble à nous tous. Il est aussi triste.

Les séances de Ramain se passent chaque fois dans des salles différentes. Cette fois, nous sommes dans le sous-sol de l'établissement, juste à côté des laboratoires de sciences naturelles. Brigitte commence toujours ses cours par de la relaxation. Nous devons nous allonger pour écouter ses paroles, censées nous calmer. Ce jour-là, elle loue d'abord nos progrès avant de nous proposer un nouvel exercice. Il s'agit de laisser éclater notre « trop-plein ».

« Notre trop-plein de quoi ? je demande.

– De ce que tu sens. »

Je m'apprête à poser une autre question quand elle me fait les gros yeux. Je me tais.

Ce sont les nouvelles minutes les plus terrifiantes de ma vie. Éric hurle des sons qui partent dans les aigus. Puis il s'arrête, avant de repartir de plus belle. Le bègue chante. Il ne bégaie plus quand il chante alors il adore ça. Comme il ne s'entend pas à cause des cris d'Éric, son chant se fait de plus en plus fort. Le toqué nettoie tout ce qu'il trouve à nettoyer et ce n'est pas ce qui manque. L'autiste ne dit rien. Brigitte s'acharne sur lui jusqu'à ce qu'il se mette à hurler des formules mathématiques. Le tiqué crie lui aussi, tout en gesticulant comme jamais. Il éclate souvent de rire puis se remet à hurler.

Je me mets tout doucement à pleurer. Puis des sanglots plus gros me secouent. Brigitte me félicite. Mes sanglots redoublent. Ça dure très longtemps. Le souvenir d'Éric, criant qu'il va bien avant d'être cloué au sol par trois adultes, m'empêche de dire que *moi aussi je vais bien*. Je me contente donc de continuer à pleurer au milieu des hurlements des autres. Le spectacle est apocalyptique.

Brigitte décide enfin de mettre un terme à ce carnage mais le calme ne revient vraiment qu'au bout d'un très long moment. Elle a des mots gentils pour chacun de nous. Elle me glisse à l'oreille : « C'est très bien ! Continue comme ça. »

Ce n'est pas la première fois qu'on m'encourage par un « C'est bien », mais là, c'est différent. Les félicitations de Brigitte ne collent pas du tout à la situation. Je suis anéanti.

Je ne fais plus rien de toute la journée. Je n'écoute ni les profs ni les copains. Je ne m'écoute même pas moi-même, quand une voix en moi persiste à me dire que je n'ai rien à faire aux cours de méthode Ramain. Je n'ai plus la force de parier sur l'erreur de diagnostic. Je n'en peux plus. J'ai abdiqué. Puisque je suis comme les autres, j'attends que ma folie se manifeste, qu'elle sorte de moi pour me montrer son visage. Je suis prêt à l'accueillir.

XVII

L'école buissonnière

Les cours de français du formidable M. Moineau, mes amours d'abord incendiaires avec Véronique avant d'être contrariées et puis surtout la bonhomie de mes copains, Bizet, Brioude et tous les autres, tout ce petit bonheur en somme m'avait un peu fait oublier Tommy, mon chien invisible. Je l'avais bel et bien négligé.

Quand les ravages de la méthode Ramain eurent produit leurs premiers effets sur moi, je me souvins néanmoins de son existence et décidai d'effectuer un rapprochement opportun avec lui. Tommy serait dorénavant mon seul ami. Mon seul rempart contre la solitude et contre la folie. Il devint en effet mon unique confident, celui à qui je racontais le supplice de la méthode. Je n'étais, bien sûr, pas très fier de l'avoir oublié quand tout allait bien et de revenir vers lui alors que j'allais mal, mais lui ne m'en tint pas rigueur. Jamais il ne m'en fit le reproche, trop heureux sans doute que je m'intéresse de nouveau à lui. C'est aussi que Tommy n'était qu'un chien, qui plus est invisible, et qu'il ne réagissait pas du tout comme nous. Il n'avait jamais dérogé au pacte de discrétion que j'avais conclu avec lui, maman n'avait donc pu s'apercevoir de sa présence. Je n'avais pas à craindre que mon père le surprenne parce que lui n'entrait presque jamais dans ma chambre. Il ne le faisait que si maman l'obligeait à venir me parler mais ça, tant qu'il pouvait, il évitait. Tommy était donc resté mon chien secret, ou plutôt il venait de le redevenir. Je lui racontai tout Ramain.

Brigitte nous avait expliqué que, il y a très longtemps, une Mme Ramain avait eu une très grave méningite. Cette maladie aurait presque pu la tuer mais l'avait finalement laissée seulement impotente, clouée à son lit sans qu'elle ne puisse plus ni parler ni marcher. C'est à ce moment-là qu'elle avait inventé sa méthode. Elle avait eu l'idée d'aller chercher des ressources et des cris au fond d'elle-même parce qu'elle ne pouvait plus se lever de son lit.

Au début, j'exposai donc les choses à Tommy comme Brigitte elle-même l'avait fait avec nous. Vu comme ça, ça pouvait lui sembler une bonne chose. Mais je ne lui avais pas tout dit. J'avais préféré faire comme avec Brioude pour le laisser rêver un peu. Mais peu à peu, j'en eus assez de lui mentir et j'avais terriblement besoin de parler à quelqu'un. Un soir, alors que nous dînions en famille, je demandai à maman si j'avais déjà eu une méningite.

« Tu ne vas pas recommencer ! me répondit-elle.

– Oui ou non ? insistais-je, parce que c'était très important.

– Mais bien sûr que non, enfin ! »

Elle se mit bien vite à parler d'autre chose et on finit le repas tranquillement. Il y avait de la tarte à la cannelle en dessert mais, à l'étonnement de tout le monde, je refusai ce soir-là de me resservir pour pouvoir regagner ma chambre au plus vite.

Je décidai de mettre immédiatement les choses au point avec Tommy. Je lui expliquai, preuve à l'appui, que la méthode Ramain n'était pas la bonne pour moi et que, en tout cas, elle me faisait du mal.

Le lendemain, je vis maman sortir du salon avec plusieurs billets de cent francs dans la main. Ça faisait une sacrée somme. Il m'était déjà arrivé de la voir aller chercher de l'argent dans le salon mais je n'y avais jamais vraiment prêté attention. Et puis, si nous la croisions à ce moment-là, elle faisait toujours en sorte de dissimuler prestement les billets. J'en avais donc déduit que cela ne me regardait pas. Mais maintenant les choses étaient différentes. J'avais besoin d'argent. De beaucoup d'argent. J'avais décidé de ne plus jamais retourner au collège. Je ne voulais plus jamais voir Brigitte. Il fallait que j'apprenne à survivre tout seul. J'avais donc besoin de l'argent de maman.

Après tout, c'était à cause d'elle, ce qui m'arrivait.

Le lendemain, je suis parti pour l'école, enfin j'ai fait semblant d'y aller. J'ai pris le métro comme si. Et puis je suis revenu une heure après. Je savais qu'il n'y aurait plus personne à la maison. J'ai tout de même sonné à la porte au cas où et me suis caché à toute vitesse dans l'escalier. Pas de réponse. Je suis entré dans l'appartement et me suis rendu directement dans le salon. Il n'était pas si grand, mais où était le trésor ? Je palpai les fauteuils, en vain. Je regardai cette pièce. Il n'y avait pas beaucoup de cachettes possibles, à part le meuble Boule. J'étais maintenant sûr que c'était là. Je me suis mis à sortir tous les livres et j'ai exploré les étagères, mais finalement rien, là non plus. Quand maman entrait dans le salon, ça ne durait pas longtemps. Où l'argent pouvait-il bien être ? Les tableaux ? Très excité, j'inspectai leurs dos. Toujours rien. Où étaient ces foutus billets ? Je commençais à suer. J'étais épuisé. J'avisai à nouveau le meuble Boule. Il était collé au mur : peut-être derrière, alors ? Quand je le fis basculer vers moi, le marbre glissa légèrement et un billet dépassa. C'était là ! J'enlevai alors le marbre lentement et le spectacle de dizaines de liasses de billets s'offrit à mes yeux. J'explosais d'émotion. Le sang affluait à mes tempes, produisant un bruit sourd, tout battait. Je ne me sentais pas très bien du tout. J'étais devenu un voleur, un vrai voleur. Les liasses étaient rangées par dix et il y en avait trente et une. Que faire ? Voler une liasse tout entière ou bien prendre quelques billets dans chaque paquet ? J'optai pour la deuxième solution. La main gauche, toute tremblante, vola une dizaine de billets. J'agissais comme un automate. Une fois mon crime accompli, je regagnai ma chambre et m'allongeai sur mon lit. J'étais en nage, encore haletant et en proie à des sentiments contradictoires. Une voix me disait de tout remettre à sa place et de retourner à l'école, l'autre de profiter de mon butin, voire d'aller chercher plus d'argent encore. Mes mains continuaient de trembler. Tout mon corps vivait très intensément ce moment. Je décidai finalement de garder l'argent et cette décision me rendit malade. J'allai vomir aux toilettes tout ce que je pouvais sortir de mauvais en moi, et il y en avait beaucoup. Je finis par rester deux longues heures prostré sur mon lit. Et puis je pris le métro pour aller manger un wimpy sur les Champs-Élysées.

Une fois rassasié, j'arpentai la grande avenue. J'avais trois heures à tuer avant de pouvoir rentrer à la maison. Pour l'heure, la foule ambiante me garantissait l'anonymat recherché. Personne ne se demanderait ce que faisait un garçon de presque quatorze ans dans ces lieux. Et encore moins au cinéma. Je choisis un film au hasard. C'était un vieux film anglais : *Noblesse oblige*. Je ne l'avais pas fait exprès mais c'était l'histoire d'un homme dont la mère issue de la grande noblesse anglaise avait été reniée par sa famille. Pour la venger et toucher son héritage, il devait tuer les huit autres héritiers potentiels. Ce qu'on ne ferait pas pour de l'argent, quand même ! Cette pensée déclencha en moi un torrent de larmes.

J'avais treize ans et mille francs en poche. Une place de cinéma n'en valait que cinq, un déjeuner, quatre. En somme, j'avais de quoi voir venir.

Il était l'heure de rentrer à la maison. Auparavant, je devais absolument étudier un plan pour pouvoir répondre aux possibles questions sur ma journée de travail. Mais la soirée fut semblable à celle de la veille et il n'y eut aucune question. Le lendemain, je pris donc à nouveau le chemin des Champs. Puis le jour suivant encore et tous les autres ensuite. Toutes mes journées se passaient de la même façon. Arrivé vers 10 heures sur les lieux de mon mensonge, j'allais à une première séance au cinéma le Champs-Élysées à 11 heures. Puis je déjeunais au Wimpy et, dans la foulée, je voyais dès 14 heures un deuxième film.

J'oubliais Ramain et ses affres. Je basculais dans un monde où je n'étais plus acteur de ma vie mais seulement spectateur et ça me plaisait bien. Le soir, je rentrais toujours à la maison avec la crainte d'être découvert. J'avais l'impression de nager dans un plaisir extrême et d'aller droit dans le mur. C'était presque comme un suicide, je devenais étranger à ma propre vie. Je savais bien qu'un jour il me faudrait expliquer le pourquoi de mes absences de Sainte-Barbe et à quoi j'occupais mon temps, mais je persévérais néanmoins dans cette quête du rien. Tout, plutôt que de retrouver les fous.

Le matin, je sortais avant tout le monde. Puis je guettais le départ des parents et celui de Philippe avant de revenir à la maison pour intercepter les lettres de Sainte-Barbe, censées informer les parents de mon absence prolongée. Il y en avait un minimum de deux par semaine. Je les jetais dans le vide-ordures sans même prendre la peine d'y répondre. J'aurais pu envoyer au directeur un mot me disculpant parce que je savais imiter la signature de ma mère à la perfection : j'avais passé une journée entière à m'entraîner. Mais non, je m'en fichais. J'attendais même peut-être d'être démasqué. Oui, en fait, ça m'aurait sûrement soulagé.

Nous étions fin mars et j'avais déjà vu une bonne cinquantaine de films. Cela faisait un mois et trois semaines que je n'avais plus mis les pieds en cours. Je me demandais parfois de quoi M. Moineau pouvait bien parler en cours de français. Lui me manquait un peu. Après le cinéma, il fallait toujours que je rentre vite à la maison parce que dehors il faisait très froid. Avec l'argent de mes poches, je m'achetais tous les *Bob Morane* et les *X-13* possibles. Je m'asseyais dans le métro pour les lire. Les rames se succédaient devant moi. Je les laissais passer sans monter dedans. Bref, je m'ennuyais ferme. Et je n'avais plus personne à qui parler.

J'étais toujours très content quand il y avait des amis le soir à la maison. C'étaient des soirées très gaies et puis on mangeait plus sophistiqué. Après la solitude de mes journées, le brouhaha des voix familières me permettait de me distraire un peu. Les amis de mes parents étaient les bienvenus pour une autre raison encore : je savais que s'il me fallait rendre des comptes sur mon emploi du temps, leur présence servirait de tampon. Ce jour-là, j'avais vu *Le Kid de Cincinnati*, que j'avais beaucoup aimé. Le dîner avec les amis se passa ensuite pour le mieux. Ce n'est qu'après avoir dit bonsoir à tout le monde et alors que j'étais dans ma chambre que le téléphone sonna.

C'était M. Matthias, le professeur de mathématiques de Sainte-Barbe. Il appelait pour savoir ce qui se passait. Je l'avais complètement oublié, celui-là ! Je tendis l'oreille. Manifestement, maman ne comprenait rien à ce qu'il lui racontait. Elle disait « Mais depuis quand ? » « Mais non ! » « Mais c'est impossible ! » Ça semblait prendre une tournure qui m'était incroyablement favorable : maman ne le croyait pas ! Donc, elle me croirait, moi. C'était quand même pratique d'avoir maman comme maman. Mais je n'entendis pas la fin de leur conversation. Et c'est avec un air complètement affolé qu'elle entra ensuite dans ma chambre :

« Mais qu'est-ce que c'est que cette histoire, tu es malade ?

– Non », lui dis-je, pour la rassurer tout de suite.

Je sentis néanmoins que la fin de mes escapades était proche. Heureusement, la présence des amis permettrait une scène plus intime. Je lui avouai tout, sauf le vol et le cinéma, l'essentiel en quelque sorte.

Maman ne disait plus rien. Elle restait interdite devant moi. J'entrevis une ouverture. J'enfonçai donc le clou en commençant à pleurer à chaudes larmes. J'évoquai bien sûr Brigitte et lui détaillai mon quotidien de fou. Je vis alors sa colère se transformer en honte.

« Mais pourquoi ne m'en as-tu pas parlé ? demanda-t-elle.

– Je l'ai fait mais tu ne m'as pas cru », lui répondis-je et, là, j'étais sincère.

Il y eut un long regard entre nous puis maman m'embrassa longuement.

« C'est fini, dit-elle d'une voix douce. C'est fini », répéta-t-elle.

Puis elle s'excusa mais elle ne pouvait laisser les amis seuls plus longtemps.

« Demain, on va arranger ça. Il ne faut plus que tu y penses. Tu as bien fait », ajouta-t-elle, avant de quitter ma chambre.

Je me recouchai alors que je reniflais encore. Je continuais quand même à tendre l'oreille pour savoir si leur discussion aurait un rapport avec moi. Mais non, ils parlaient déjà d'autre chose. J'avais sauvé ma nuit.

Le lendemain, je retournai à Sainte-Barbe, accompagné de maman. Nous avions rendez-vous avec M. Miquel, le directeur. Il fut extrêmement affable avec maman et se révéla excellent pédagogue. Il sembla comprendre les ravages de Ramain mais il était trop tard maintenant. J'avais perdu trop de temps, je ne pourrai jamais rattraper mon retard, en tout cas pas à Sainte-Barbe. C'était donc la dernière fois que je voyais mon collège. De ça, j'étais très content. Plus de tiqué ni de toqué ni de violence à l'horizon ! Par contre, il y avait la tristesse de ne plus revoir mes amis, surtout Brioude. Mais après tout, je ne les avais pas vus depuis déjà deux mois et ils ne m'avaient pas manqué tant que ça.

Je sortis donc du collège sans me retourner et nous partîmes pour le cours Gaudéchoux que M. Miquel venait de nous recommander. Il avait même obtenu pour nous un rendez-vous immédiat avec son directeur.

Le cours Gaudéchoux était situé avenue de la Bourdonnais, dans le septième arrondissement. En effet, le directeur nous attendait. Il était mince et avait un regard bienveillant. Maman lui parla de la méthode Ramain. Il ne la connaissait pas et c'était un bon point pour lui. Pour moi aussi.

Pour maman, il était hors de question que je ne reprenne pas le cours de ma troisième. Et, à la fin de l'entretien, je fus effectivement autorisé à reprendre le cours normal de ma scolarité. J'avais raté l'école pendant deux mois. Nous étions à la fin du deuxième trimestre mais ma nouvelle école avait manifestement besoin de l'argent des parents.

On me présenta séance tenante mes nouveaux camarades. Ce cours acceptait tous les cancres de Paris. Il y avait là des garçons qui avaient jusqu'à trois ans de retard. Avec mes six mois d'avance, cela faisait jusqu'à quatre ans de différence d'âge.

Le professeur de mathématiques me plaça au fond de la classe, au milieu des plus cancres des cancres. Je n'avais jamais vu autant d'imbéciles au mètre carré. Je m'assis à côté d'un garçon en veste de tweed qui, immédiatement, dit à haute voix : « C'est toi qui as pété ? »

Les rires fusèrent. Je ne savais plus où me mettre et, bien évidemment, le prof demanda ce qui se passait. Le gros blagueur me dénonça. J'eus le droit à un « Déjà ? Eh bien, allez donc raconter ça au directeur ! » Ce que je fis. J'hésitai entre endosser la faute ou bien dénoncer l'élève. Je choisis de sauver ma peau en l'accusant, lui. Le garçon fut donc convoqué. Il eut droit à une réprimande et moi à la solide inimitié d'une très grande majorité de la classe. Ça commençait bien ! Les jours passèrent. La plupart des cours étaient dispensés au milieu d'un joyeux bordel, qui me plongeait dans un ennui mortel. Je décidai finalement de me rallier à la « cancritude » mais il n'y avait pas tellement de joies à en espérer. Pour faire l'imbécile, je n'étais pas en reste et je suivais sans trop de problème, par contre je sentais bien que j'étais de trop. Lorsque, à l'intercours, je tentais de me glisser dans un groupe, on me faisait comprendre que je n'étais pas de leur monde. Et puis ils étaient tellement plus hauts que moi. J'aurais pu en profiter pour travailler les cours ou lire, mais la bêtise ambiante était trop contagieuse. Je restais donc seul dans mon coin.

Parfois, pourtant, il y avait des moments de bonheur. Comme, par exemple, le jour où le professeur d'histoire lut à voix haute un passage d'une copie à laquelle il avait mis zéro : « En France, à cette époque-là, les évêques se succédaient de père en fils. »

J'éclatai de rire ! Mais je fus le seul. Et ça me valut aussitôt une repartie cinglante de la part de son auteur : « Ça te fait rire, le mongolien ? »

Je me figeai net :

« Pourquoi il a dit ça ? »

XVIII

Mongolien

Ce soir, il y a des invités à la maison : Dolly, toujours toute seule depuis sa séparation, André et Denise, toujours ensemble depuis toujours, papa, maman, mon frère et moi. La tenture vieil or du salon commence à donner de vrais signes de faiblesse. L'or est loin d'être aussi éclatant qu'à son arrivée dans l'appartement. Soit j'ai fini par m'habituer, soit c'est l'humidité qui est passée par là. Seul le couvre-téléphone en velours est resté rutilant mais lui a été changé trois fois depuis sa première apparition.

Je m'appelle François Berléand et je vais avoir quinze ans dans six mois. Dans ma chambre, j'ai un piano et un bureau en teck qui commence à dater. Je n'ai plus de Teppaz mais une platine Dual et une chaîne hi-fi deux fois quinze volts. Je suis AB négatif. Je n'aime toujours pas les carottes bouillies ni le chou-fleur. Par contre je me suis fait aux épinards et aux endives. Comme quoi.

J'accuse un léger surpoids depuis l'époque de mes déjeuners hypercaloriques au Wimpy. J'ai les cheveux tellement gras qu'ils tiennent tout seuls, ce qui me rend très fier. Nous sommes plusieurs dans ma classe à penser que c'est élégant. J'en prends donc un très grand soin : le secret, c'est de ne jamais les laver. Mais ma mère ne comprend pas notre mode. Elle m'oblige à me faire des shampooings tous les quinze jours. Pour limiter les dégâts, je me mets alors un filet sur la tête pendant que mes cheveux sèchent afin qu'ils restent tout de même plaqués contre mon crâne. Et j'ai une très belle raie de côté.

Le dîner se poursuit. J'écoute d'une oreille distraite les discussions politiques des adultes. Ce sont toujours les mêmes disputes entre eux. Philippe, qui est maintenant d'extrême gauche, les traite tous de « petits-bourgeois ».

Le ton monte immédiatement. Maman tente l'ultime diversion : « Et si on parlait du petit Jésus ? »

Mes parents ne sont plus vraiment les meilleurs amis du monde. Papa n'a même pas un sourire pour la touchante tentative de maman de ramener le calme sur le dîner. C'est André qui y parvient. Il connaît papa depuis vingt ans et pourtant ce soir il lui dit : « C'est quand même marrant, ce type asiatique que tu as... »

Là, mon père, surpris, se tourne vers ma mère comme si elle pouvait lui servir de miroir. Il touche ses pommettes, en effet saillantes, et rit, ce qui plisse encore plus ses beaux yeux bleus un peu bridés.

Et voilà ce qu'il répond à André : « Tu connais la treizième tribu de Kessel, cette tribu d'Asie Mineure qui, pour avoir la paix, s'est convertie au judaïsme ? Eh bien, je dois avoir un ancêtre lointain qui en faisait partie. Voilà, je descends donc des Mongols ! »

Le dîner se poursuivit sans doute mais l'aveu de mon père continuait de résonner dans ma tête et je ne pouvais penser à rien d'autre. Ainsi, le grand dadais de ma classe avait vu juste, malgré son acné sévère et son épi roux. *Ça te fait rire, le mongolien ?* m'avait-il demandé. Comment avait-il pu savoir pour nos ancêtres ? Ça n'enlevait rien à la violence de son insulte mais il fallait bien lui reconnaître un savoir qui venait seulement de prendre pour moi des allures de révélation. J'étais donc mongolien, à cause de cette tribu dont je descendais par mon

160

père. J'étais mongolien. Et pour moi aussi, c'était un peu pour avoir la paix.

À ce moment de mon adolescence, j'avais presque réussi à faire le deuil de mon invisibilité. Je continuais bien à parler à voix haute quand je me promenais tout seul dans la rue, mais c'était à peu près tout. Le fait d'apprendre que j'étais un mongolien me replongea donc d'un coup dans l'abîme dont je venais péniblement de m'extraire.

Ma perplexité était immense. C'était quoi, au juste, « mongolien » ? Ou « Mongol » d'ailleurs, je ne savais pas trop lequel des deux j'étais... Il m'aurait suffi de regarder dans un dictionnaire pour comprendre que je n'étais aucun des deux, mais je ne le fis pas. Ma question la plus urgente était tout autre : qu'est-ce que j'y gagnais ? En étant le fils de l'Homme invisible, je n'avais eu aucun mal à percevoir quels étaient mes avantages. Ils étaient colossaux, même si, à l'usage, j'avais fini par déchanter un peu. Mais là, c'était différent. Je ne voyais pas trop l'intérêt d'être mongolien. En tout cas, pour moi, je ne voyais pas. Tout allait être encore plus difficile qu'avant. Le seul bénéfice que je pouvais en retirer résidait dans une meilleure compréhension du monde, du mien en tout cas. Parce que, à la lumière de cette nouvelle, beaucoup de choses s'éclairaient. Ce n'était donc plus la faute à un méchant hasard si j'avais été contraint d'assister au cours de méthode Ramain. Seul mon état avait rendu cela nécessaire et j'aimais encore mieux ça. Au moins, ça ne voulait pas dire que je n'avais pas de chance ! J'étais sincèrement soulagé de ne pas être marqué par la poisse, ce qui m'aurait paru terriblement injuste. Puisque j'étais bel et bien mongolien, la méthode Ramain, finalement, avait eu du sens. Dans mon cas, en effet, ça s'imposait. L'honneur était donc sauf. C'était la vie, en quelque sorte. Rien de plus.

Mais maintenant, je me sentais vraiment seul.

Babouchka, à qui j'avais confié mes soucis quand j'étais le fils de l'Homme invisible, était à l'hôpital. Mes parents nous avaient expliqué, à mon frère et à moi, qu'elle était très malade et que ce serait gentil que nous allions la voir. J'avais accepté avec enthousiasme, espérant secrètement qu'on me laisserait seul avec elle et que je pourrais lui demander des conseils pour la suite. Quand on entra dans sa chambre, la tête se mit immédiatement à nous tourner, la faute sans doute à l'odeur âcre des hôpitaux Babouchka était là, dans son lit, à nous attendre en sommeillant à demi mais, quand elle nous vit, son visage s'illumina. Son sourire traversa la

162

moitié de son visage et elle se mit à nous parler. En russe. Sa voix était très faible et beaucoup de tuyaux sortaient de ses bras. Papa lui répondit dans leur langue. J'avais l'impression d'être de trop. À bout de forces, elle fermait souvent les yeux et était très amaigrie. Je n'avais plus du tout envie qu'on me laisse seul avec elle, ni surtout de l'embêter avec ma maladie à moi. J'attendrais qu'elle aille mieux. À moi aussi, elle s'adressa en russe. Je ne comprenais pas le moindre mot de ce qu'elle me murmurait mais je formulais quand même des *da* timides pendant que les larmes coulaient sur mes joues. Puis mon père nous donna l'ordre, à Philippe et à moi, de sortir de la chambre, où il resta, lui, assez longtemps.

C'est la dernière fois que j'ai vu babouchka.

Dans ses dernières volontés, elle avait exprimé le vœu d'être incinérée. Nous nous rendîmes donc au Père-Lachaise pour la cérémonie. Je n'avais jamais assisté à une crémation et je m'y suis toujours refusé depuis. Le cercueil coulissa dans un tunnel et disparut derrière un rideau de flammes. Une musique affreusement triste accompagnait le travail du feu, qu'un volet vint enfin nous cacher. Je me remémorais tous les mauvais tours que je lui avais joués : l'imiter avant qu'elle n'ouvre la porte de chez elle avec ses doudouchinekines douchinekamayas, et puis surtout la fois où j'avais posé une araignée en plastique sur son assiette, ce qui lui avait occasionné une crise d'asthme épouvantable. J'avais cru un instant qu'elle allait mourir. À bien y réfléchir, c'étaient les deux seules bêtises que j'avais à me reprocher, mais à cet instant précis elles comptaient double. À elle, je n'avais jamais rien volé. C'était impossible : elle nous donnait déjà tout.

J'avais pris la main de mon père dans la mienne. C'était sa maman qu'on était en train de brûler.

« Pourquoi ? » lui demandai-je.

J'étais interloqué qu'on puisse souhaiter une telle violence contre soi, et que babouchka l'ait fait.

« C'est par mémoire », m'expliqua mon père.

Il me raconta que le mari de babouchka, son père à lui donc, était mort dans les fours crématoires des camps de concentration nazis. Babouchka, que je n'avais, bien sûr, jamais connue amoureuse ni même très religieuse, avait pourtant voulu rendre ainsi un double hommage à la mémoire de son mari et au destin de son peuple.

Cette explication me toucha. D'une part parce que mon père était très ému en me racontant son histoire, d'autre part parce qu'elle rejoignait la mienne. Ce peuple me concernait moi aussi. C'est par lui que j'étais maintenant mongolien. Ç'avait donc son importance.

Quand la guerre des Six Jours éclata, le 5 juin 1967, j'entendis dire que six millions de Juifs allaient tenter de résister à une coalition de deux cent cinquante millions d'Arabes. Un tel rapport de force me sembla d'une démesure si folle que je décidai immédiatement de me rendre à l'ambassade d'Israël pour m'engager dans les troupes de Tsahal. Il fallait bien essayer de rééquilibrer un peu tout ça. Le personnel de l'ambassade me remercia gentiment de ma proposition mais n'y donna pas suite. Ma surprise se transforma très vite en prostration. Si malgré leur désespérant manque de recrues, ils n'avaient pas retenu ma candidature, c'est qu'ils devaient avoir une sacrée bonne raison ! Et je n'en voyais malheureusement qu'une seule. Ils avaient vu que j'étais mongolien et donc très logiquement m'avaient déclaré inapte au service.

J'étais déçu, bien sûr, parce que j'avais voulu être utile et qu'on avait refusé mon aide mais je venais surtout de comprendre une chose de prime importance.

Je n'avais pas prévenu mes parents de ma décision d'aller grossir les rangs israéliens. Je ne leur avais pas dit que, après l'école, j'irais à l'ambassade proposer mes services, et mes parents n'avaient donc pas pu demander à l'ambassadeur de faire semblant de les accepter. Car c'était ça, ma vie, une tricherie.

Je venais d'en avoir la preuve.

XIX

Paranoïa

D'ordinaire, ma vie était si routinière qu'il ne devait pas être très compliqué à des parents aimants de la jalonner de précautions diverses. C'est ainsi que, aux premiers jours de l'année scolaire, il leur avait sûrement suffi d'expliquer à tous les professeurs de mes écoles privées successives que rien dans leur comportement ne devait jamais me permettre d'avoir le moindre soupçon sur mon état. J'imaginais la gêne de mes parents, leurs paroles embarrassées et le silence confus qui leur répondait mais qui finissait par valoir accord tacite. La sévérité des enseignants à mon égard n'était donc que mise en scène, elle n'avait lieu que pour « faire vrai » mais le cœur n'y était sans doute pas. C'est aussi pour cela, sans doute, que, bon an mal an, j'étais toujours passé dans la classe supérieure : à quoi bon faire redoubler un mongolien ? Non, on m'avait laissé faire mon petit bonhomme de chemin pour qu'à la tristesse de mon état ne s'ajoutent pas d'inutiles souffrances morales. Et tout était à l'avenant.

Les miroirs étaient sûrement trafiqués afin qu'ils puissent me renvoyer une image normale de moi-même. J'avais bien eu un pressentiment les concernant quand j'avais été le fils de l'Homme invisible mais je n'avais pas eu alors la perspicacité nécessaire pour deviner que c'était encore plus grave. Avec deux ou trois ans de plus, la maturité aidant, je pouvais enfin voir clair dans le subterfuge. Je n'étais plus disposé à me laisser abuser par des faux-semblants. L'invisibilité n'avait été qu'un leurre, l'arbre qui cache la forêt en quelque sorte. On avait consenti à m'avouer cela pour mieux me cacher la nature secrète de mon mal, autrement plus handicapante.

J'étais bouleversé d'imaginer les trésors d'imagination déployés par mes parents pour rendre ma vie à peu près normale alors que moi-même je l'étais si peu. Ils avaient dû essayer de contrôler les plus infimes détails de mon quotidien pour qu'il soit en tous points semblable à celui d'autres adolescents de mon âge. Mais voilà, je venais de deviner leur secret et cela me gonflait le cœur. De fierté, tout d'abord, parce que mes parents avaient été irréprochables et que, à deux ou trois détails près, ils avaient parfaitement réussi dans leur folle entreprise. De tristesse ensuite, parce que ma vie n'était plus tout à fait la mienne, qu'elle n'était que le résultat d'un arrangement aimant qui venait brusquement de trouver sa limite. Que faire ? Continuer de faire semblant d'être dupe ou affronter mes parents et leur infliger ainsi la deuxième pire désillusion de leur vie ? Jouer leur jeu pour les protéger ou bien leur dire que je venais de recevoir d'eux la plus belle preuve d'amour qui soit mais qu'il était temps, puisqu'on s'aimait à ce point, de se dire la vérité ? Ils auraient sûrement aimé que je sois normal mais, avant tout, ils me voulaient heureux. Pourquoi ne pas les laisser croire que je l'étais et continuer d'accepter sans mot dire cette vie qu'ils me monnayaient ?

Je n'avais pas encore seize ans et ce dilemme me donnait le vertige. C'était mon bonheur contre leur sérénité. Ma vie contre la leur. Mon secret plutôt que le leur. J'ai hésité longtemps. Je dormais mal. J'avais parfois des douleurs intercostales, le sternum souvent bloqué et un constant sentiment d'oppression. Un été entier s'est passé sur les plages de Saint-Jean-de-Luz à faire semblant d'aimer le surf alors que j'avais le destin d'une famille entière au bord des lèvres. Pendant que les copains jouaient au volley, je restais assis sur des murets et je réfléchissais. Quand ils se baignaient, je les regardais depuis le bord sans même être tenté de les rejoindre. De très fréquentes sensations de déjà-vu venaient en plus compliquer tout ça.

Puis, peu de temps avant la rentrée scolaire, j'ai tranché.

Je ne dirais rien. Je ferais comme si. J'allais continuer d'accepter le reflet souriant de mon visage dans les miroirs. J'allais faire semblant de répondre à l'amitié des copains, en espérant seulement qu'elle ne coûtait pas trop cher à mes parents. Surtout pour ma mère qui n'aimait pas jeter l'argent par les fenêtres. Savoir qu'ils en dépensaient beaucoup pour un mensonge auquel je ne croyais plus m'aurait fendu le cœur un peu plus encore.

Taire ce secret m'a fait me taire tout à fait. J'étais mutique. À quoi bon confier mon jardin intime à mes copains puisqu'ils étaient payés pour m'écouter ? À quoi bon continuer d'essayer d'être aimable avec eux puisque, même sans effort de ma part, ils n'auraient sûrement pas le droit de moins m'aimer ? Rien n'était vrai, tout était donc possible. Cette politique ne tarda pas à porter ses fruits. Le vide se fit autour de moi. On me trouvait « pénible », « rasoir », et bien sûr « bizarre ». C'était quand même un peu la vérité, et ça me dérangeait moins que Pierre Greyou qui continuait obstinément à me traiter en copain. « Il doit avoir sacrément besoin d'argent », me disais-je. Je trouvais par ailleurs qu'il jouait mal. J'imitai devant lui les sourires radieux qu'il avait en me voyant et je répétai méchamment après lui « On joue un peu au foot ? » en imitant sa voix enthousiaste. Lui aussi réussit finalement à se passer de son salaire et il finit par se détourner complètement de moi. Tous m'évitaient. Il y avait des moments grisants de toute-puissance, où je couvais mon secret, fier de l'intelligence qu'il m'avait fallu déployer pour le percer à jour et il y avait aussi d'intenses moments de détresse où, la nuit, seul dans mon lit, je pleurais en silence en me demandant pourquoi mes parents ne m'avaient pas plutôt tué à la naissance.

Je ne voyais pas quel avenir pouvait être promis à des gens comme moi. Y en avait-il même seulement d'autres dans le monde entier qui souffraient autant ? J'en doutais. Je n'en étais pas arrivé à détester l'humanité tout entière et à la rendre responsable de mon sort. Le seul à qui j'en voulais vraiment, c'était mon frère :

pourquoi moi plutôt que lui ? Mais la question n'était pas nouvelle et il me fallait toujours faire avec la même réponse : parce que c'est comme ça.

D'autres rentrées scolaires eurent lieu et me furent tout indifférentes. Les mauvaises notes aussi. Je tentais tout de même de limiter les dégâts parce que ma mère continuait de faire semblant d'être meurtrie si j'étais collé. Elle m'encourageait aussi si mes notes approchaient la moyenne et son amour m'épuisait, même si je ne connaissais rien de meilleur au monde.

XX

La vie

J'étais seul mais j'étais libre. J'étais maintenant en première B dans un nouveau cours, Dutilheul, qui appartenait au même genre d'établissement que le précédent. Les parents payaient pour que leurs rejetons passent dans la classe supérieure et ce, jusqu'au bac. Après... Je n'appartenais à aucun clan, à aucune bande. Et je m'en portais bien. Les élèves de ma classe avaient pour la plupart au moins deux années de plus que moi, des préoccupations différentes et des mentalités de minables. Il n'y avait pas grand-chose à en attendre et borner mes échanges avec eux au strict minimum ne me privait vraiment pas. Mes problèmes d'intégration pouvaient donc passer pour une forme d'élitisme. Je refusais de frayer avec des crétins et préférais me cantonner à quelques rares amitiés choisies. Comme celle de Philippe Itkine.

Lui, je croyais à son amitié. Je ne sais pas comment il s'y était pris mais il m'avait convaincu. Il n'avait d'ailleurs sûrement rien fait. Il me plaisait, c'est tout. Et dans ces cas-là, je m'arrangeais au mieux avec ma trisomie. Je l'oubliais, tout simplement. Et je vivais le plus normalement du monde.

Philippe Itkine avait beaucoup de qualités à mes yeux. Il jouait divinement bien du piano et nous nous échangions nos compositions respectives. Il était bien sûr très sympathique et aimait rire de mes rares blagues mais surtout il avait remplacé dans ma fantasmagorie l'aura de Nicolas, le fils de l'explorateur. C'est que le père de Philippe possédait la clinique des pieds sensibles, rue de La Boétie, et son fils, qui espérait y travailler un jour, avait réussi à me faire partager son rêve. Philippe m'avait convaincu de l'importance des pieds dans la vie. C'était là, disait-il, que tout commençait. Soigner les voûtes plantaires, prévenir le mal de dos et adapter les chaussures à toutes les pathologies imaginables, voilà qui, un temps, m'a semblé à moi aussi de la première importance.

Il y avait aussi Didier Guérand, ami de Philippe. Ils étaient voisins. Lui, c'était un cancre très gentil. Il avait déjà une voiture avec laquelle il venait de temps en temps en cours. Nous formions quelquefois une sorte de trio à l'école, ce qui me procurait une joie extrême : j'avais l'impression de m'être enfin intégré. Pour être tout à fait honnête, ils formaient plutôt un duo, dans lequel j'avais ma place une ou deux fois par semaine.

Les vacances de Pâques m'emmenèrent à Méribel, dans les Trois Vallées. J'étais un « pas trop mauvais skieur » et je faisais partie d'un club parisien dont je défendais les couleurs. Les journées se passaient toujours de la même façon. Lever à 7 heures, petit-déjeuner, douche avant ou après, c'était selon, puis cours de ski par niveaux. Déjeuner, ski libre l'après-midi, quartier libre jusqu'à 19 h 30, dîner puis coucher dans la foulée d'une veillée affligeante de banalité.

J'avais appris à skier assez jeune mais je n'aimais pas ça. Je mettais un temps fou à m'équiper. Après le long et fastidieux laçage des chaussures, il nous fallait porter jusqu'au pied des pistes les skis qui nous sciaient les épaules. Non, décidément, je n'aimais pas ça. Les moniteurs étaient tous des intégristes de la glisse : il fallait skier serré et rien d'autre.

Le troisième jour, après une rude journée, je rentrai dans un café, une presque boîte de nuit.

Je m'installais au bar, seul, le plus à l'écart possible de la foule. Il y avait là un garçon de mon âge, seul lui aussi. Je commençai bientôt à sentir son regard posé sur moi. Oui, le garçon me regardait avec insistance. J'étais extrêmement mal à l'aise. Pour me donner une contenance, je pris un journal qui traînait là. Je me cachai derrière une des pages et, de temps en temps, je jetais un regard furtif sur ce type. Il était toujours en train de me dévisager, ce qui poussa mon embarras à son comble. Tout à coup, il se leva et marcha dans ma direction. Le temps de son déplacement, je m'étais rapetissé du mieux que j'avais pu mais en vain : il était là, planté devant moi. D'une voix pleine d'assurance, il dit alors : « Tu es juif ? »

Je ne savais pas trop ce qu'il me fallait répondre. C'était la première fois qu'on me posait la question aussi directement. Je bredouillai que mon père l'était un peu mais pas ma mère. Ça me faisait une porte de sortie.

Son visage s'éclaira.

« J'en étais sûr ! me dit-il. Je ne me trompe jamais. Enchanté, Patrick Nathan. »

J'avais été tellement persuadé qu'il voulait se battre avec moi que, voyant qu'il n'en était finalement rien, je l'aurais presque embrassé. Ce fut à mon tour de le fixer. Il avait la peau mate et les yeux noirs. Manifestement, il ne faisait pas partie de la tribu de mon père mais son sourire le rendait très sympathique. Nous parlâmes pendant un très long temps et, tout au bout, nous devînmes les meilleurs amis du monde. Je passai là les meilleures vacances de ma vie. Heureusement, Patrick Nathan habitait Paris, nous allions donc nous revoir. C'était la première fois de ma vie que je rencontrais quelqu'un d'autre. Quelqu'un qui ne fût ni un camarade de classe, ni un voisin, ni un ami d'ami ; non, c'était quelqu'un avec qui j'avais fait connaissance tout seul et il allait transformer ma vie.

À notre retour de vacances, il me présenta Sophie. Il m'avait souvent parlé de deux sœurs qui habitaient Ménilmontant. Pour moi, c'était le bout du monde, mais qu'importait, il paraissait qu'elles étaient très belles. Rendez-vous fut pris à côté de chez elles et tant pis si je mis plus d'une heure pour y arriver. Nous nous retrouvâmes donc à Couronnes et, effectivement, ce fut un éblouissement. Sophie était brune aux yeux marron. Elle était grande, fine, radieuse, légèrement timide, ce qui lui donnait comme un air absent. Elle avait un an de moins que moi et une voix douce mais posée. Son sourire avait un je-ne-sais-quoi de triste qui le rendait divinement charmant. En fait, tout le contraire de sa sœur aînée, Irène, une étudiante en médecine, dure, émaciée et au débit trop saccadé.

Nous étions dans un café. J'avais attendu que les deux sœurs s'asseyent pour m'installer juste en face de Sophie. Mon sang affluait vers mes tempes. Je n'arrivais pas à parler. J'étais saisi par l'émotion. C'était la première fois que je ressentais cela et j'y prenais énormément de plaisir. C'était comme si le monde n'existait plus, comme s'il s'était borné à Sophie et à moi, comme si je faisais enfin connaissance avec moi-même. Une conscience nouvelle, électrique, une décharge foudroyante. Les deux autres s'éclipsèrent, nous laissant à notre amour naissant. Cela me donna le courage de parler, enfin, non pour dire des paroles qui changeraient le monde, mais pour lui exprimer mon profond émoi. Lorsque je n'eus plus rien à dire, je me débrouillai pour la faire parler à son tour. Ce qu'elle me dit me bouleversa. Sa mère était morte peu de temps après sa naissance et son père, Juif polonais, était arrivé en France dix ans auparavant, seul avec ses deux filles, sans parler un traître mot de notre langue. Dans son pays, il était ingénieur, mais l'unique travail qu'il avait trouvé en France avait été peintre en bâtiment.

Ils vivaient à trois dans un petit deux-pièces et avaient beaucoup de mal à joindre les deux bouts.

Ce n'est que lorsqu'elle m'invita chez elle que je pris enfin conscience de ce qu'était la difficulté de ne pas être bien né. L'insolente facilité de ma vie me donna soudain la nausée. Dans leur minuscule appartement de deux pièces, il n'y avait que le strict nécessaire : une table, quatre chaises, un clic-clac dans le salon, un coin cuisine, une salle de douche et enfin la chambre des filles dans laquelle il y avait deux petits lits et une table qui leur servait de bureau. Tout cela devait faire à peine vingt-cinq mètres carrés. Les deux sœurs s'étaient engouffrées dans leurs études et ne faisaient rien d'autre.

Je repartis chez moi le cœur lourd devant ce qui me semblait être de la misère mais j'étais décidément amoureux comme un fou de Sophie. Elle n'avait évidemment pas le téléphone, ce qui rendrait tout plus compliqué. Je lui avais tout de même donné mon numéro en espérant qu'elle m'appellerait vite. Il me fallut attendre trois jours avant d'avoir de ses nouvelles. On convint d'un nouveau rendez-vous dans un café proche de chez elle. Pour moi, Sophie était devenue l'essentiel. Il n'était pas question d'élaborer avec elle une quelconque stratégie. C'est donc tout naturellement que je lui avouai mon amour. Elle n'en fut pas surprise et me confia que je ne lui étais pas indifférent non plus. Et c'est ainsi que j'échangeai mon premier vrai baiser d'amoureux.

Après l'avoir raccompagnée jusque chez elle, je flottai un peu dans l'air de Ménilmontant puis je rentrai chez moi. Elle devait m'appeler le lendemain à 18 heures.

À moins le quart, j'attendais déjà devant le téléphone. À moins dix, je commençai à m'inquiéter. À moins cinq, j'étais persuadé qu'elle était morte, et à 18 heures, qu'elle m'avait quitté. Le téléphone sonna au quart, alors que l'angoisse me tordait le ventre de douleur. C'était elle. Prenant sur moi, je lui fis remarquer calmement qu'elle était légèrement en retard. Elle me répondit de sa jolie voix douce qu'elle attendait depuis une heure au café que le téléphone se libère. J'en restai muet de honte et de surprise. Le téléphone avait toujours été là chez moi, accessible et facile, sans que je m'en sois jamais émerveillé.

Je découvrais la vie.

On finissait d'échanger notre amour au télé phone lorsque maman rentra. Devant ma bonne mine, elle tenta une reprise de dialogue. Je ne pus résister au plaisir de lui raconter mon nouveau bonheur. Elle en était autant ravie que moi. Cette histoire avec Sophie tenait du conte de fées. J'étais tout le temps chez elle. Pour lui plaire, je me mis à travailler en classe, je fis un bond en avant. Notre amour était chaste mais profond. Nous découvrions le bonheur inépuisable d'être deux. Trois mois après le début de notre idylle, Didier Guérand m'appela pour me proposer de partir en vacances avec lui. Ses parents possédaient un chalet à la montagne et c'est tout naturellement que j'invitai Sophie à m'y accompagner. Sa sœur Irène viendrait aussi et nous servirait de chaperon.

Nous dormions chacun dans notre chambre. Les journées se passaient à skier, les nuits à danser dans les boîtes.

Un soir, alors que les slows avaient succédé aux jerks et que je reprenais mon souffle, un moniteur invita Sophie à danser. Sans même m'interroger du regard, elle accepta l'invitation, se leva et se lova contre lui. Je n'osais rien dire, ni surtout rien faire. J'étais pétrifié. Didier continuait à danser, Irène était sereine, j'étais donc seul avec mon énorme boule dans l'estomac. Je venais de découvrir un sentiment qui m'avait été jusqu'alors inconnu : la jalousie. Sophie et son moniteur continuaient de se coller l'un à l'autre. J'en étais mortifié. Il n'y avait plus que deux couples sur la piste de danse. Le disc-jockey en prit acte et mit *Try a Little Tenderness* pour que le final très rock remobilise les troupes. Sophie et son danseur se séparèrent. Mon calvaire venait de prendre fin. Elle revint à notre table en me jetant son toujours triste sourire. Effectivement, d'un strict point de vue objectif, il ne s'était rien passé de très grave, mais tout de même. Moi, il ne me serait jamais venu à l'idée d'inviter une fille à danser devant elle. C'était toute la différence.

Voilà. J'étais donc différent, d'où mon appartenance à ma tribu mongole. CQFD. À nouveau, la trisomie venait de fondre sur moi. Je compris en un éclair ce que je m'étais jusqu'alors refusé de voir : je n'avais bien évidemment pas rencontré Patrick Nathan par hasard et, beaucoup plus grave, Sophie non plus. Tout cela avait été savamment orchestré par mes parents. J'étais sûr qu'ils la payaient pour qu'elle fasse semblant de m'aimer. Sophie n'était pas dans une situation matérielle qui lui permettait de refuser pareille offre et c'est tout naturellement qu'elle avait accepté de se prêter à ce jeu cruel. Je venais enfin de voir clair dans ses sentiments véritables. Je lui étais, en fait, totalement indifférent et il avait suffi d'une quelconque invitation à danser pour qu'elle m'abandonne purement et simplement. Elle venait de se trahir et je l'étais aussi. Comment l'en blâmer ? Elle était à nouveau assise à notre table, juste à côté de moi, mais je ne savais plus comment lui parler. Je me sentais profondément ridicule. Elle, elle riait avec les autres, comme si de rien n'était. Son moniteur l'invita à nouveau à danser. Je ne sais pas ce qui l'empêcha d'accepter.

De toute façon, pour moi, il était désormais trop tard.

Comme à mon habitude quand ça n'allait pas, je devins mutique et ce, jusqu'à la fin des vacances. Trois jours restaient. Ce fut un calvaire pour nous quatre. Je ne répondais à aucune de leurs questions et ne participais à aucune conversation. Je restais dans le chalet à attendre le temps qui passe. Je me laissais aller. On rentra enfin à Paris.

Je me posais toutes sortes de questions sur ma part de responsabilité dans ces rencontres arrangées. J'avais pourtant l'impression de les choisir moi-même, mes amis. Comment est-ce que je pouvais me laisser abuser à ce point et en souffrir tellement ensuite ?

Trois jours après que nous étions rentrés, Sophie n'avait toujours pas appelé. L'angoisse me rongeait l'estomac. J'étais incapable de faire quoi que ce soit. Jamais je n'avais été aussi mal.

Enfin l'appel libératoire arriva mais quelque chose avait changé. Le ton de Sophie était ennuyé. Sa conversation entrecoupée de silences. Je devinais que la fin était proche et je choisis d'anticiper la phrase fatale par un : « Tu veux qu'on se voie ? »

Il y eut un silence.

« Comme tu veux », dit-elle finalement.

Elle me parlait d'une voix monocorde, sans tristesse apparente, et je savais que la rupture était inévitable. On prit rendez-vous au café habituel.

En arrivant, elle me donna un baiser triste sur la joue. J'essayais d'être enjoué mais ça sonnait faux. J'attendais le moment fatidique. celui qui me délivrerait.

« C'est fini entre nous », dit-elle enfin.

Mes yeux s'embuèrent de larmes. L'angoisse qui m'étreignait était en train de se libérer. Je tirai de la poche de mon manteau un couteau arabe que je posai sur la table.

« Je vais me suicider. »

Elle éclata de rire.

« Tu ne le feras jamais.

– On verra bien. »

Et je sortis du café sans me retourner. Je ne l'avais jamais plus aimée qu'à ce moment-là.

J'étais anéanti. Ma vie ne valait plus la peine d'être vécue. Ma décision était prise. J'allais vraiment me suicider.

Je rentrai chez moi la mort dans l'âme. Je regardais sans cesse le couteau. Il était rouillé et, à dire vrai, il me dégoûtait. Je n'allais quand même pas me tuer avec cet engin-là. Je décidai de surseoir un temps à mon exécution.

Après le dîner et après avoir souhaité bonne nuit aux parents, je m'enfermai dans ma chambre. Je me mis à pleurer de longues larmes inconsolables. Pour parachever l'ambiance, j'avais mis en boucle *Ne me quitte pas* de Jacques Brel. J'étais à l'agonie mais d'autres sentiments s'agitaient en moi. Le chagrin amoureux, certes, la douleur d'une première vraie séparation, oui, mais aussi la colère, une rage folle à l'idée de m'être fait duper.

Je décidai finalement de donner une bonne leçon à Sophie. Je résolus de lui envoyer une lettre dans laquelle je lui expliquerais qu'elle était tout pour moi et que je ne concevais pas ma vie sans elle. Par conséquent, quand elle recevrait cette lettre, je serais déjà mort. Je savais qu'elle finirait par téléphoner chez moi. Je voulais qu'on lui réponde que j'étais mort. Ou, au moins, à l'hôpital. Ça lui apprendrait.

Il s'agissait donc de mettre en scène mon faux suicide. Ce serait une bonne leçon. Pour mes parents aussi, d'ailleurs. Je laissai donc deux tubes vides de Temesta bien en évidence sur ma table de nuit et en avalai un demi-comprimé pour réussir à m'endormir après cette doulou-reuse rupture. Mon sommeil fut excellent. Le lendemain matin, il fallut à ma mère beaucoup de cris désespérés pour me réveiller. La super-cherie avait été convaincante. J'étais heureux de mon forfait, même s'il me fallait maintenant consoler ma mère et m'excuser platement. Je bredouillai des explications confuses, qui eurent l'heur de suffire. Ma mère avait eu tellement peur qu'elle n'était pas en état d'être très regar-dante. Mon père levait les yeux au ciel. Il n'avait pas compris grand-chose aux cris de sa femme. « Encore du scandale ! » semblait-il penser.

Mon plan avait marché au-delà de mes espé-rances au sein de la famille mais il me fallait maintenant l'aide de mon frère pour punir Sophie.

C'était la première fois que j'allais lui deman-der quelque chose. Je m'en rendais compte à cet instant précis. Nous avions toujours été des étrangers l'un pour l'autre. Nous passions l'es-sentiel de notre temps à nous battre et à nous contenter du strict nécessaire en famille. Il était pourtant le seul, désormais, à pouvoir m'aider.

Je rentrai dans sa chambre et lui expliquai la situation. Je m'attendais à ce qu'il lève les yeux au ciel avant de m'envoyer paître, mais non ! Il me fixa un court moment du regard puis il me raccompagna sobrement dans ma chambre. Il me fit juste un clin d'œil, le temps de me dire : « OK. Je vais le faire. »

Et il le fit. Quand Sophie appela, je murmurai à Philippe le texte de ses réponses.

« Non il n'est pas là, il est à l'hôpital. »

Sophie était bouleversée et je savourais enfin ma vengeance. Mais quand j'entendis qu'elle se mettait à pleurer, je vacillai tout de même un peu. Je fis signe à Philippe que mon état était grave, d'accord, mais pas désespéré non plus et que, selon toute vraisemblance, j'allais quand même m'en sortir.

« Non, ce n'est pas la peine que tu viennes à l'hôpital. Il ne veut pas te voir. »

Et il raccrocha.

« Ça te va comme ça ? »

Il me sourit et alla dans sa chambre. C'est tout de même un peu honteux que je regagnai la mienne. Je venais de découvrir l'affreux bonheur de faire mal. Mais nous étions maintenant deux à souffrir et c'était aussi bien. Sophie appela tous les soirs jusqu'à ce que je sorte de l'hôpital. Je ne lui parlai jamais plus malgré ses appels incessants. Et puis un jour, il n'y eut plus de nouvelles d'elle.

Je n'allais pas vraiment mieux pour autant. Au contraire, je pensais à elle sans cesse. Elle me manquait. Les jours se suivaient sans que je m'y intéresse. Je continuais à voir Patrick Nathan. Mes parents avaient dû lui donner beaucoup d'argent. Il me présentait à tous ses amis qui, je le voyais bien, s'efforçaient eux aussi de m'être sympathiques mais ils en faisaient trop. Et puis je ne voulais pas non plus ruiner mes parents. Je déclinais donc toutes les promesses de nouvelle amitié.

Quand Mai 68 arriva, je n'avais que seize ans. J'ai eu assez vite la sensation que quelque chose d'important se passait. Mon école, qui était juste à côté de chez moi, continuait néanmoins de fonctionner. Mon engagement politique a été étroitement lié à la possibilité de sécher les cours. Je parcourais des kilomètres à pied pour rejoindre Saint-Michel, haut lieu de la contestation étudiante. Là, je me fondais dans les cortèges de manifestants, hurlant avec eux des slogans antifascistes auxquels je ne comprenais pas grand-chose mais j'étais bien et personne ne faisait attention à moi. En plus, il faisait très beau. Je suis même allé au théâtre de l'Odéon. « Il paraît que Barrault parle aux jeunes », m'avait-on dit, et c'était vrai, il parlait vraiment avec eux. Mais il se faisait surtout traiter de vieux con. Moi, je ne disais rien. Je me contentais d'écouter ces vociférations d'une oreille distraite. Au moins, pendant ces journées-là, il me semblait que le temps passait plus vite. Les rumeurs allaient bon train. On disait que le gouvernement allait sauter, que les Allemands étaient sur le point de revenir, ou qu'au contraire c'étaient les impérialistes américains qui allaient débarquer. Mais ce n'était pas grave parce que les Russes allaient venir à notre rescousse. « Tant mieux ! » disaient les uns. « Rien de pire ! » répondaient les autres. Finalement, rien de tout cela ne se produit et tout rentra dans l'ordre, un ordre juste un peu différent. Les grandes vacances vinrent dissiper le grand malentendu mondial que nous venions de frôler et pour ma part, comme tous les étés, je migrai vers Saint-Jean-de-Luz. Je comprenais que si nous allions toujours aux mêmes endroits c'était parce que les parents y avaient fait installer partout ces glaces spécialement fabriquées pour moi. Malgré la diversion politico-sociale, j'étais donc toujours aussi mal dans ma peau.

Il y eut, cet été-là, une Marie, Suédoise de passage, que je laissais me faire un peu de bien. Il fallait bien qu'elle gagne l'argent de son voyage ! Je ne comprenais rien à son sabir mi-anglais mi-français et ne prenais donc que très rarement la peine de lui répondre. Elle m'avait plaqué au bout d'une toute petite semaine, sans doute au lendemain d'une première paie chèrement acquise. Le soir, je regardais d'un œil las mes pauvres parents. Je savais qu'ils essayaient de rendre ma vie décente mais j'avais envie de leur hurler qu'ils me la rendaient impossible, au contraire. J'étais vraiment mal. Je souffrais comme un chien. Plus que ça même, parce que Tommy, par exemple, tout chien qu'il était, n'avait pas dû souffrir beaucoup dans sa vie.

Je ne croyais plus à son existence. Je n'y avais d'ailleurs jamais vraiment cru, j'arrivais à me le dire maintenant. Trois jours après avoir virtuellement adopté son chien, j'étais monté voir Pierre-Yves. Quand il m'avait ouvert sa porte, Tommy avait aboyé joyeusement et m'avait fait la fête comme si de rien n'était. J'en étais resté quelques instants estomaqué, sans comprendre ce qui se passait. Mais c'était ça, la réalité. Tommy n'était pas plus invisible que moi. Je m'étais raconté une histoire. Je l'avais juste inventée parce que j'avais besoin d'un compagnon docile, qui comprendrait mon chagrin, croirait à mes mensonges et même y participerait pour leur donner plus de poids. En un mot, quelqu'un qui m'aiderait à croire à des histoires dont j'essayais, par ailleurs, de me défaire. C'était moche, et le pire, c'était que ça marchait. Cet été-là, j'eus aussi recours aux plaisirs incertains de l'alcool. Mais bien sûr, ça n'empêchait pas la solitude ni le temps qui ne passe pas. J'avais la sensation d'avoir vécu tout cela tellement de fois, les mêmes personnes, les mêmes discussions, les mêmes vacances inutiles, les mêmes interrogations et moi au milieu de tout ça, attendant la nuit pour dormir enfin et supporter ce que je ne vivais pas le jour.

Ce fut comme cela jusqu'à la mi-septembre, jusqu'à la rentrée des classes.

J'étais admis dans la classe supérieure.

Évidemment.

XXI

Délivrance

Je suis maintenant en terminale. Mon frère est déjà passé par là. Il m'a parlé d'une nouvelle matière, la philosophie, qui, selon lui, est une façon nouvelle d'appréhender les problèmes de la vie. Ça m'a fait dresser l'oreille. Avec un peu de chance, ça pourrait peut-être m'aider à mieux vivre mon handicap ?

Je retrouve mes camarades de l'année précédente sans trop d'enthousiasme. Rien à attendre de ce côté-là mais, de toute façon, la seule chose qui m'importe, c'est le cours de philo. Un certain M. Spire nous l'enseignera. Selon un scénario que j'imagine bien rodé, il commence son cours en confondant la craie et sa cigarette. Il ne s'en avise que lorsque le mégot incandescent lui chauffe l'oreille et que la classe tout entière éclate de rire. Il rit de bon cœur lui aussi puis se met une chaise sur la tête pour nous parler de l'incommunicabilité des consciences. Là, l'hilarité est à son comble et je vois très clairement tous les espoirs que j'ai fondés sur la philosophie s'envoler d'un coup. Je m'en veux un peu d'avoir eu la faiblesse de croire qu'une matière scolaire, même amie de la sagesse, serait là pour m'aider à résoudre mes problèmes de tribu. Rien de bon ne m'est jamais venu par l'école, il n'y a guère de raison pour que cela change. L'année va donc à nouveau être très longue, avec ce fichu bac en ligne de mire que mes parents auront sans doute un mal fou à m'acheter. S'ils n'y parviennent pas, ce sera là un échec retentissant et peut-être enfin l'occasion d'une mise au point salutaire entre nous ?

C'est pendant que mon avenir s'écrit de la sorte que Marc entre dans notre classe. Un nouveau psychologue vient de faire irruption dans ma vie. Celui-là est jeune et plutôt sympathique. Le piège est énorme, aussi gros que la tentation, mais je me dis immédiatement que ce Marc, tout séduisant qu'il est, n'est pas près de me voir. J'en ai assez de ces spécialistes qui finissent tous par faire pleurer ma mère.

« Je vous recevrai à votre guise le lundi et le jeudi matin. Et, bien sûr, quand on vient me parler, on est dispensé de cours. Alors choisissez bien vos horaires ! »

Il me semble bien qu'il me regarde plus que les autres pendant qu'il parle. On voit qu'il sait que je suis son cas le plus spectaculaire mais ma décision est prise et elle est irrévocable. Il pourra toujours m'attendre...

Le hasard fait quelquefois des choses. Trois mois plus tard, on me bouscule dans la cour et je tombe sur la tête. Comme je suis un peu verdâtre en me relevant, je suis conduit à l'infirmerie. Là, on m'allonge sur un lit de repos en attendant que je reprenne mes esprits. Je ne suis pas seul. Marc est à côté de moi. C'est peut-être les sels qu'il me fait respirer ou plus probablement sa présence qui me remettent immédiatement sur pied. Je lui fais un clin d'œil complice doublé d'un sourire rassurant, lève une jambe puis l'autre en souvenir du Dr Khan, puis me dirige rapidement vers la porte lorsqu'il me demande pourquoi je ne suis jamais passé le voir.

« Tu es le seul. Tous les autres sont venus. »

« C'est parce qu'ils n'ont pas de problèmes, je me dis, sinon, ils n'iraient pas... »

Marc me tutoie. Je décide d'en faire autant.

« Tu sais très bien pourquoi je ne viens pas. »

C'est laconique mais suffisant. J'en ai assez qu'on me prenne pour un imbécile.

Trois jours après, Marc entre dans la classe pendant le cours de maths. C'est moi qu'il fixe du regard :

« François, tu peux venir, s'il te plaît ? »

Il a beau être poli et le dire d'une voix douce, je sais bien que je n'ai pas trop le choix. Je le suis donc dans son bureau. Je devine déjà tout ce qui va se passer. On va s'asseoir et le silence va s'installer, lui aussi. On va se regarder sans rien se dire et je finirai par baisser les yeux. Il me posera des questions idiotes et je lui mentirai. Ou bien il me faudra faire des exercices étranges et ma mère sera convoquée dans la semaine pour pleurer devant les résultats.

« Ça veut dire quoi, *tu le sais bien* ? me demande-t-il abruptement.

– Ça veut dire ce que ça veut dire.

– Oui, mais sinon ?

– Sinon quoi ? »

Il a l'air surpris du tour étrange que prend notre conversation. Peut-être a-t-il vraiment envie qu'on se parle ? Je ne suis pas encore décidé à me laisser faire mais j'ai déjà une énorme boule de chagrin dans la gorge, près d'exploser. C'est à cause de sa gentillesse.

« J'ai vu tes résultats scolaires. Ce n'est pas très brillant. Un vrai gâchis, non ? »

Sa manière de dire cette phrase m'a incroyablement touché. Il l'a dite sans aucune agressivité, simplement comme un constat, sans me juger. Impossible de comprendre pourquoi la présence de cet homme me fait autant de bien. La même sensation que lorsque j'ai appris à nager et que je ne sentais plus le poids de mon corps dans l'eau. Je flotte littéralement. Comme si sa voix m'avait allégé dans l'instant de tous mes problèmes. Je ne sais même plus ce qu'il m'a demandé tellement je me sens bien. Ah oui, mes mauvaises notes...

« Le moyen de faire autrement ? » lui dis-je.

Il me répond de son seul sourire. J'ai toujours la main sur la porte et je sens qu'il faut que je m'en aille au plus vite si je ne veux pas fondre en larmes devant lui. Je file sans demander mon reste et il ne fait rien pour me retenir. Ce n'est pas qu'il m'abandonne, c'est qu'avec lui je suis libre.

Il ne ressemble à aucun des psys que j'ai vus jusqu'à présent. Indéniablement, il m'inspire confiance, mais il faut pourtant que je continue à me méfier. Marc n'est sûrement pas là par hasard, et moi non plus d'ailleurs. Si on m'a placé dans l'établissement où il officie, c'est bien qu'il y a une raison, non ? Jusqu'à présent, tout s'est toujours passé comme ça. Il y a autour de moi une grande organisation à laquelle je dois me soumettre. C'est pour mon bien, je le sais, et pourtant j'en souffre de plus en plus. Je crois que je suis maintenant presque prêt à regarder la vérité en face et à affronter ma différence. Tout, plutôt que cette hypocrisie qui m'entoure et qui ne suffit plus à me protéger.

C'est pour cela que je suis Marc sans déplaisir quand il vient me chercher toutes les semaines pour m'emmener dans son bureau. La régularité de ces rencontres aidant, nous parlons maintenant de tout ensemble. Des propos badins, légers, qui tournent parfois autour de mes problèmes mais sans jamais trop s'y attarder. Je reste sur la défensive, toujours prompt à esquiver les questions directes qui viendraient menacer mon secret. Ça, je n'arrive toujours pas à en parler. Ce secret me ronge mais suis-je prêt à vivre sans lui pour autant ? Car il est tout de même très pratique, ce secret. C'est lui qui est responsable de mes échecs, pas moi. C'est à cause de lui si mes parents se disputent, et pas parce qu'ils ne s'aiment plus. C'est à cause de lui que ma vie est difficile, et pas parce que la vie est difficile. Et grâce à lui, je peux vivre plusieurs vies, être là ou pas, invisible un peu, trisomique peut-être, différent certainement. Et tout ça, je ne suis pas certain d'avoir envie d'y renoncer. Et puis, si jamais j'ai tout inventé, il va me falloir me demander *pourquoi* ? Et peut-être que le remède sera pire encore que le mal ?

Pendant mes conversations avec Marc, une force obscure m'empêche de lui parler vraiment. Une espèce d'instinct de conservation, mais inversé. Pourtant, ce n'est pas simple du tout de résister à sa patience et à sa gentillesse. Il me faut vraiment lutter pour ne pas m'ouvrir à lui parce qu'il m'inspire diablement confiance. Lui pourrait comprendre, j'en ai de plus en plus l'intime conviction, et même... M'expliquer ?

Et puis un jour il se fâche. C'est venu d'un coup. J'ai encore eu une mauvaise note en philosophie et Marc s'en étonne. Pas moi. Pour confirmer mon indifférence, je hausse les épaules et c'est là qu'il explose.

« Tu n'es qu'un petit fainéant doublé d'un imbécile. J'ai essayé de te comprendre mais il n'y a rien à comprendre ! Tu devrais juste avoir honte de profiter comme tu le fais de l'argent de tes parents. Tu ne veux pas travailler ? Eh bien, arrête l'école ! Arrête de faire payer tes parents inutilement. Il y a tellement de jeunes qui rêveraient de faire des études, laisse-leur la place. Toi, tu n'es qu'un fils à papa ! »

Un fils à papa, moi ? Eh bien, oui. Et plutôt deux fois qu'une ! Il m'a piqué au cœur. Il est rouge de colère et moi, d'émotion.

« Je ne connais pas mon père. Je ne sais pas lequel des deux est le vrai. Soit je suis le fils de l'Homme invisible, soit je suis trisomique, à cause de ma tribu. Alors, fils à papa, t'es plutôt mal tombé. »

C'est sorti d'une traite, sans réfléchir. Et maintenant j'ai envie de pleurer. Je ne dis plus rien. Lui non plus. Il y a un long silence. Puis je lui bredouille quelques explications complémentaires :

« En fait, je sais que je ne suis plus le fils de l'Homme invisible. C'était avant. Je l'ai été, voilà, c'est dit. »

Je viens de faire un grand pas mais Marc ne m'a pas suivi. Je vois bien à l'expression de son visage qu'il voudrait que je répète plus lentement ce que je viens de lui dire. Il n'est pas certain d'avoir bien compris mais je suis fatigué et je n'ajoute pas un mot.

« C'est tout pour aujourd'hui ? » demande-t-il, beau joueur.

J'opine du chef et je lui souris avant de quitter son bureau. Marc est en train de devenir mon ami.

Je suis persuadé qu'il va me courir après pour m'arracher de nouvelles précisions sur ma vie et je me trompe. J'imagine qu'il va me convoquer tous les matins dans son bureau pour avoir le fin mot de l'histoire et que je pourrai m'amuser à lui opposer un refus obstiné de collaborer. Mais ça ne se passe pas du tout comme ça. Il ne vient plus jamais me chercher. Au fil des jours, ma surprise devient de l'insatisfaction puis de la frustration, presque de la colère. Quoi ? Il n'a pas envie d'en savoir plus ? Mon cas ne l'intéresse plus ? Et moi qui aimais tellement lui parler...

Sa compagnie me manque un peu. Nos conversations aussi. La dernière est restée en plan. Elle me laisse un goût d'inachevé qui ne me convient pas. Je sens qu'évoquer mon passé de fils de l'Homme invisible me fait m'en détacher un peu. Nommer mes problèmes crée avec eux une distance nouvelle. J'y adhère moins. J'entrevois donc la possibilité d'une libération mais Marc ne me donne pas l'occasion de la poursuivre. C'est donc sans invite de sa part, de mon propre chef, qu'un matin je retourne dans son bureau.

Il n'a pas l'air surpris de me voir et c'est tout naturellement que je m'assieds face à lui. Impossible de reprendre notre conversation là où nous l'avons laissée. Il faut recommencer à parler de l'école, des copains qui n'en sont pas, des notes qui ne disent toujours pas la vérité sur mes capacités intellectuelles. Ces digressions m'aident parce que je ne sais toujours pas par où commencer pour le reste. Nous nous voyons à nouveau deux fois par semaine et un lien très fort se tisse entre nous. On va même au café ensemble.

Un jour, il m'invite à une fête qu'il organise chez lui. Je suis le plus jeune et j'en suis heureux parce que je préfère la compagnie des « vieux ». Parmi les autres invités, il y a Karine. Pendant le dîner, son regard croise souvent le mien. Plus tard dans la soirée, elle me lance un magnifique sourire puis s'approche de moi et nous commençons à parler. Elle me propose de venir boire un dernier verre chez elle et j'accepte avec enthousiasme parce que je n'ai pas envie que la magie s'arrête. Je n'ai pas compris le sous-entendu et, une fois dans son studio, j'attends vraiment qu'elle me serve le dernier verre. Quand elle revient nue de la salle de bains, je suis saisi de panique. Une énorme boule d'angoisse se loge dans ma gorge et je ne sais plus du tout quoi faire. Mais elle est douce et elle accompagne tous mes gestes maladroits avec beaucoup de délicatesse. Cela se fait comme dans un rêve. Je me sens fort, heureux, et c'est délicieusement bon.

Le lendemain, il est prévu que je revoie Marc.

« Tu as passé une bonne soirée ? » me demande-t-il, peut-être sans malice.

Mais pour moi tout s'écroule à l'instant même. Ainsi, Karine et lui étaient de mèche Tout était bien évidemment convenu d'avance entre eux. Mon charme n'y est absolument pour rien. La nuit que je viens de vivre, je ne l'ai pas méritée. Elle devait se passer ainsi et c'est fait. C'est tout. Dans cette vie-là, je n'arriverai jamais à rien par moi-même. Je ne pourrai jamais rien prouver. Le cauchemar continue. Je ne peux empêcher mes larmes de commencer à couler.

« Alors, c'était arrangé ?

– Qu'est-ce qui était arrangé ?

– Karine. »

Il n'a pas l'air de comprendre ce que je lui dis. L'expression de son visage est d'une sincérité absolue. Il joue génialement bien l'incompréhension. Ou bien est-il vraiment sincère ? Avec lui, je ne sais jamais. Il est trop fort pour moi. Je ne peux pas m'empêcher d'avoir confiance en lui. Ça complique décidément tout.

Le plus prudent est alors de battre en retraite. Je ne suis plus sûr de rien et il vaut mieux me mettre à l'abri. Mais il me retient. Cette fois-ci, il n'accepte pas l'esquive. Il veut en savoir plus. « Pourquoi tu ne parles que par énigmes ? Jamais de réponses franches ? Jamais une parole vraie ?

– C'est toi qui me parles de vérité ? je hurle. Et mes parents ? Tu les as encore laissés s'occuper de tout ? Dis-le ! C'est ça, hein ? »

Mes sanglots m'empêchent de poursuivre.

Il n'attend pas que j'arrête de pleurer pour me parler.

« L'adolescence est un passage difficile. Parfois très difficile. Je vais te prêter un livre. Ça n'a peut-être pas grand-chose à voir avec toi, mais comme ça tu verras que tu n'es pas seul à avoir du mal à trouver ton chemin. »

Et il me tend *La Côte sauvage* de Jean-René Huguenin.

Je l'ai lu d'une traite et ç'a été une révélation. Ça n'a effectivement rien à voir avec le détail de mon histoire mais au moins je découvre pendant cette lecture que je ne suis pas le seul à être dans la souffrance.

Je vois Marc le surlendemain et, pour la première fois, je vais dans son bureau avec le sourire.

« C'est formidable, ce livre !

– Eh oui ! Et tu vois, on est tous passés par
là... »

Comment ça, on est « tous » passés par là ? Il
l'a lu son livre ou pas ? Il ne parle pas du tout
des mongoliens !

« Olivier n'est pas mongolien, lui ! Il ne sait
pas ce que c'est. Et toi non plus. Personne ne
sait !

– Mais toi, oui ? » dit Marc d'une voix douce.
Il a l'air un peu perdu.

Alors je raconte tout. Tout ce que je sais.
Tout ce dont je peux me souvenir. Tout ce que
j'ai pu comprendre.

« Continue », me dit-il seulement, pendant
que je fais une pause dans mes explications. Il
parle avec une toute petite voix, pour déranger
le moins possible.

Nous restons ensemble toute la matinée. Je
ne peux plus m'arrêter de parler. Je lui raconte
enfin les miroirs truqués, censés refléter mon
autre. Je tiens ma preuve, et lui son remède. Il
me pose plein de questions sur ces glaces spéciales. Pour lui et pour la dernière fois, j'affine
ma théorie. C'est alors qu'il sort d'un de ses
tiroirs une carte de l'Île-de-France.

« Choisis une ville. N'importe laquelle. Choisis, toi. »

Je prends Compiègne parce que je ne connais pas le Nord. On part dans sa R8 sans prévenir personne. Il ne m'a rien expliqué. Il se tait. L'ambiance n'est pas aux vacances et je me doute bien qu'il n'est pas en train de me kidnapper alors pourquoi ce voyage ?

À Compiègne, il arrête sa voiture devant la gare.

« Nous sommes restés ensemble toute la journée, d'accord ou pas d'accord ?

– D'accord.

– C'est toi qui as choisi cette ville ou c'est moi ?

– C'est moi.

– J'ai passé un coup de fil à quelqu'un ? J'ai prévenu tes parents ?

– Non. »

Je commence à me renfrogner sérieusement.

« Alors maintenant tu vas sortir de la voiture. Tu vas te promener où tu veux, dans toutes les rues. Tu vas te regarder dans toutes les glaces que tu trouves et après tu viendras me raconter ce que tu as vu. »

On ne peut pas dire qu'il a triché. Je suis bel et bien coincé. Je descends de voiture la mort dans l'âme. Marc reste assis au volant tout le temps où j'erre dans la ville. Je ne sais plus trop ce que je cherche. Je me suis bien un peu regardé dans les vitrines mais mon reflet est normal. Partout. Tout le temps. Je ne suis plus du tout sûr de moi et je me décourage à la vitesse de l'éclair.

Il m'a eu. Il est impossible que mes parents aient truqué toutes les vitrines de France. Sur le trajet de l'école, ça passe encore. Dans tout Paris même, pourquoi pas ? Mais pas à cent kilomètres de là, dans une ville choisie au hasard, et par moi... J'ai insisté pourtant. J'ai vraiment cherché. Ma victoire sur eux serait magnifique si je trouvais un bon miroir. J'ai essayé les cafés, toutes les devantures des magasins, les rétroviseurs des voitures. Et il faut me rendre à l'évidence. Je suis tout ce qu'il y a de plus normal. Je suis bénin.

Je n'ose plus revenir à la voiture. Une honte cuisante m'en empêche. Et mon désarroi est abyssal. Comment tout cela a-t-il pu m'arriver ?

Toute la souffrance de ces années aurait-elle été inutile ? Je suis bouleversé par ce temps perdu, tout ce chagrin qui aurait pu m'être épargné. Que j'aurais pu m'épargner...

En une heure à peine, je suis guéri de mes démons. Mais je ne sais plus qui je suis.

Je finis par regagner la voiture. Marc est là. Il n'a pas bougé. Il m'attend. Il me sourit. J'essaie de lui rendre son bon sourire mais les larmes

arrivent, lentes, profondes, nombreuses. Il pose
juste sa main sur ma nuque :

« Pleure. Ça fait du bien. »

Tout le long du voyage retour, je continue de
pleurer. Marc n'intervient pas. Il n'ajoute rien.
Et il a raison. Il faut que je m'habitue à être seul
avec mon gâchis. Il me dépose devant chez moi.

« Ça va aller », dit-il seulement.

Il a l'air d'en être sûr et je lui fais confiance,
cette fois encore.

Je crois que le monde entier vient de s'écrou-
ler mais la force dans sa voix me dit le contraire.
Je viens de gagner quelque chose d'aussi énorme
que le droit de vivre.

À la maison, il n'y a que Philippe. Pour la
première fois de notre vie, j'ai envie de me blot-
tir dans ses bras ou au moins de l'embrasser et
de lui dire que mon cauchemar est fini.

« Ça va ? » je lui demande.

J'ai fait sobre. Les autres mots ne sont pas
sortis. Il y a encore du travail pour m'en faire
un ami, mais j'ai le temps, maintenant. Je vais
dans ma chambre pour être au calme mais je ne
suis pas calme du tout. J'ai une très forte envie
d'être gentil avec tout le monde. Et si je mettais
la table ? Maman, je lui dois bien ça. Quand elle
rentre à la maison, je me précipite dans ses bras
pour lui demander pardon.

« Tu as encore fait une bêtise ?

– Excuse-moi pour tout le mal que je vous ai fait. »

Il m'est impossible de tout lui raconter, surtout pas au moment où je voudrais qu'elle sache qu'elle n'aura plus jamais à s'inquiéter pour moi, que tout ira bien désormais. Je voudrais la rassurer à jamais alors je me tais et je me contente de lui montrer à quel point je suis heureux. Papa arrive un peu plus tard et se félicite de l'ambiance joyeuse qui règne à la maison. Je le regarde lui aussi avec émotion et je suis fier que ce soit mon père. Il n'aura jamais rien su pour l'autre et c'est tant mieux. Ça lui aurait sûrement fait beaucoup de peine d'avoir eu un rival invisible.

Il est trop tard pour rattraper le temps perdu mais je me jette tout de même à corps perdu dans les études. Désormais, je rirai de tout. Je suis surtout résolu à ne plus jamais subir la parole de l'autre, surtout la mienne, quand elle sera intérieure.

Je me construirai tout seul et pousserai droit.

J'ai continué à voir Marc de temps en temps. Il m'a avoué avoir eu très peur. Mais tout ça n'a plus d'importance. C'est derrière moi. On m'a bien encore quelquefois traité d'idiot, de débile, et même de demeuré, mais je n'y ai plus jamais prêté attention.

J'avais compris ce qu'était le langage. Et puis « ce n'est pas parce que tu es paranoïaque qu'on ne dit pas de mal de toi ».

Un soir où je dînais chez Marc, j'ai revu Karine. C'était la première fois depuis notre nuit d'amour. J'ai eu envie d'essayer de la reconquérir et de le faire en pleine connaissance de cause, avec mes moyens propres. Alors j'ai fait l'idiot. J'ai raconté des histoires drôles qui ont fait rigoler tout le monde. Marc pleurait de rire pendant que j'imitais de Gaulle. Et c'est lui qui m'a dit : « Toi, tu devrais être acteur ! »

Pourquoi il a dit ça ?

Remerciements

Je tiens à remercier Nadine Trintignant, à qui j'ai raconté cette histoire et qui m'a fait rencontrer Jean-Marc Roberts.
C'est lui qui m'a encouragé à écrire ce livre. Il ne m'a jamais lâché et moi non plus je ne le lâcherai jamais.

Merci à Karine Papillaud qui m'a fait parler.

Pardon à mon frère, Philippe, qui n'a pas le plus joli rôle ici mais j'avais besoin d'un contrepoint narratif.

Merci à Marc, bien sûr.

Et enfin, merci à Alexia Stresi, sans qui ce livre n'aurait jamais pu être écrit.

Ce volume a été composé
par Nord Compo
et achevé d'imprimer en décembre 2006
*par **Bussière***
à Saint-Amand-Montrond (Cher)
pour le compte des Éditions Stock
31, rue de Fleurus, 75006 Paris